GUIDE NATURE MODE D'EMPLOI

Activités dans la maison

Bricolage

Jeux

Jardinage

Cuisine

TEXTE DE F. DETAY-LANZMANN
ILLUSTRATIONS DE J. VINAS Y ROCA & C. LHERMÉ

SOMMAIRE

Bricolage

Cuisine

SOMMAIRE

LA MAIN VERTE

Certains semblent plus doués que d'autres pour obtenir de belles plantes, grandes, saines et toutes fleuries : on dit qu'ils ont « la main verte ».

CE QU'IL TE FAUT

Des graines de haricot de diverses formes et couleurs

Des pots de confiture vides

Du papier buvard

Un pot en terre

Du gravier

Du terreau

Une soucoupe

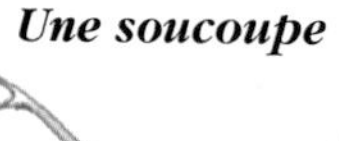

La naissance d'une plante : de la germination aux premières feuilles

1 - Tapisse le fond des pots à confiture de papier buvard ou de coton.

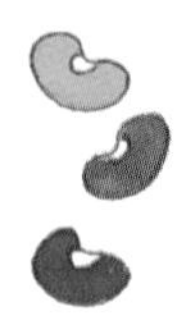

2 - Place une variété de haricot dans chaque pot.

3 - Verse de l'eau par-dessus : le garnissage du pot doit être imbibé et recouvert de quelques millimètres d'eau.

4 - Installe tes pots dans un endroit chaud, à l'abri des courants d'air. Au bout de quelques jours la graine germera, et tu verras ta plante pousser. Quand les haricots atteindront environ 15 cm de haut, il va falloir les planter dans un pot avec de la terre.

Pour développer ses racines, sa tige et ses feuilles, la plante a besoin d'eau, mais aussi de substances minérales, d'air, de lumière et de chaleur.

En fait, il s'agit de connaître la vie et les besoins des plantes pour bien les soigner. En apprenti jardinier, commence par observer l'évolution de quelques graines de haricot.

Petite plante deviendra grande

1 - Une plante en pot doit être arrosée modérément, c'est-à-dire seulement quand la terre commence à sécher. Si les racines sont imprégnées d'eau, elles pourrissent et ne peuvent plus nourrir la plante, qui flétrit. Le pot en terre a un trou percé au fond pour permettre à l'eau en excès de s'écouler. Mets du gravier au fond du pot : le trop plein d'eau s'évacuera ainsi peu à peu, et les racines seront toujours bien aérées.

2 - Remplis le pot de terreau aux trois quarts. Pose délicatement le haricot au milieu, en prenant soin de le tenir tout droit et de ne pas blesser les racines. Recouvre celles-ci de terreau, tasse un peu et arrose légèrement.

3 - Mets une soucoupe sous le pot : elle recueillera l'eau en trop, et la plante pourra ainsi y puiser plus tard l'humidité dont elle a besoin.

4 - Installe ta plante dans un lieu ensoleillé, à l'abri du froid. Aère la pièce régulièrement.

Ton haricot grandira vite : bientôt il pourra faire connaissance avec le grand air, et tu devras lui fournir un tuteur !

DES FLEURS POUR NOËL

Certaines plantes peuvent se passer de terre pour fleurir, et cela même au cœur de l'hiver. Tu peux faire pousser des bulbes chez toi, en carafe ou sur des galets, et sentir les parfums du printemps... à Noël !

CE QU'IL TE FAUT

Des bulbes de crocus, de narcisse

Des galets ou du gravier

Des narcisses sur des galets

1 - Garnis une coupe de petits galets lavés ou d'une couche de gravier.

2 - Pose les bulbes dessus et enfonce-les délicatement.

3 - Arrose jusqu'à ce que l'eau arrive à la surface des galets.

4 - Si tu as fait ces préparatifs en novembre, les narcisses fleuriront à Noël.

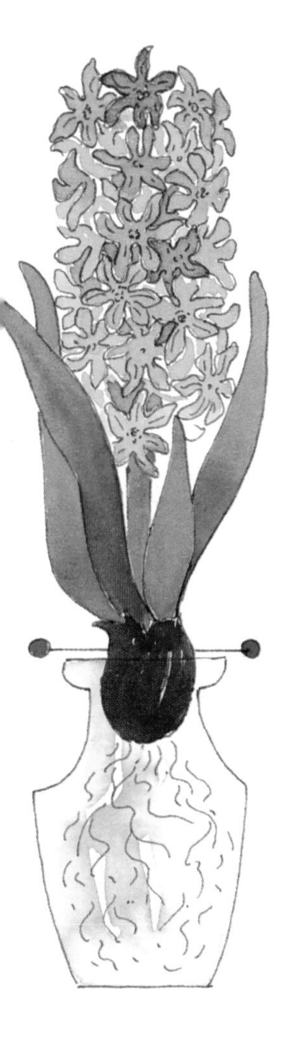

Une jacinthe dans la carafe

1 - Remplis d'eau le fond d'une carafe ou d'un verre.

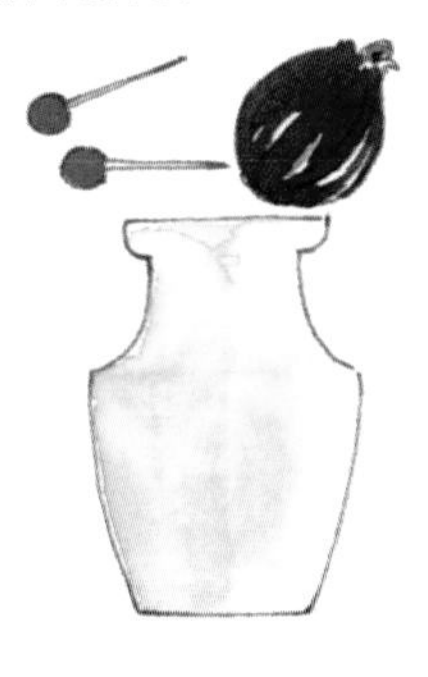

2 - Plante quatre épingles dans le bulbe de façon à créer un support. Place le bulbe dans le récipient : il doit se trouver juste au-dessus de l'eau, sans la toucher, sinon il pourrirait.

3 - Laisse le bulbe « dormir » pendant deux mois dans un endroit sombre et froid. Veille à maintenir le niveau du liquide : rajoute de l'eau délicatement, en évitant de tremper le bulbe.

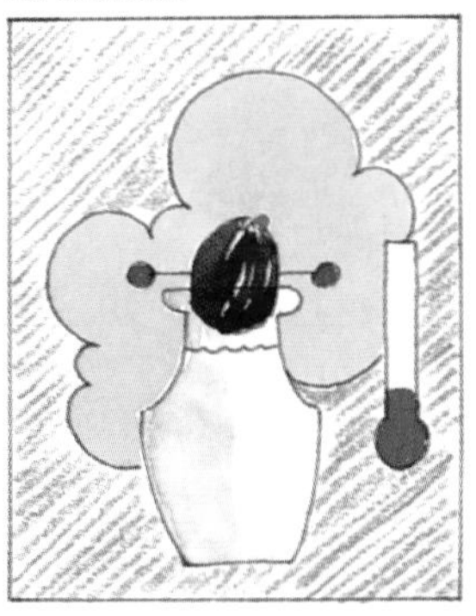

4 - Expose ensuite le bulbe à la lumière du jour : en quelques semaines, tu auras une superbe fleur !

Ce qu'il te faut

Des bulbes de jacinthes

Une carafe ou un verre

Des épingles

PÂTE À SEL POUR PETITS DOIGTS

La pâte à sel est une matière facile à préparer et très agréable à travailler. Tu pourras fabriquer toutes sortes d'objets pour décorer

CE QU'IL TE FAUT

Une table de cuisine

Un chiffon

Du papier d'aluminium

Une boîte d'ustensiles (une fourchette, un presse-ail, un couteau, un pinceau, des ciseaux, un cure-dent, etc.)

1 - Pour faire la pâte, mélange une mesure de sel fin, une mesure d'eau tiède et deux mesures et demie de

farine. Pétris la pâte jusqu'à ce qu'elle devienne compacte et lisse et ne colle plus aux mains (si elle s'effrite, c'est qu'elle manque d'eau). Ensuite, mets-la en boule.

2 - Comment la façonner ?
Tu dois te servir de tes mains pour former des petites boules, des colombins (rouleaux)

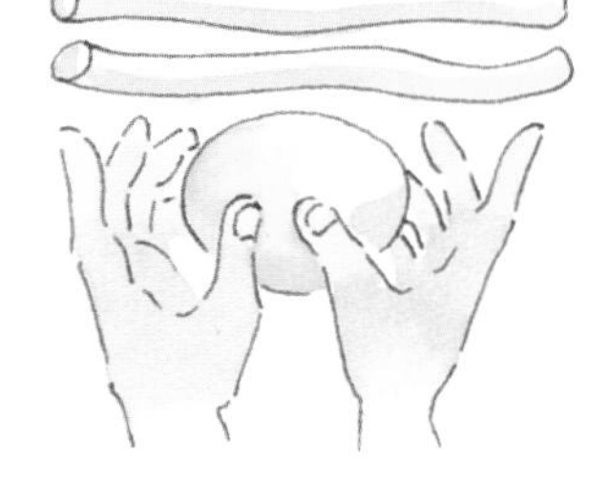

ou pour étaler des morceaux de pâte. Si tu veux obtenir une surface parfaite, étends la pâte avec un rouleau à pâtisserie ou une bouteille.

ta chambre ou pour offrir.
Commence par exécuter les modèles simples que tu trouveras dans ce livre.
Ensuite, place à l'imagination !

De la peinture (gouache ou acrylique) ou des colorants alimentaires

Du sel

De la farine

De l'eau

Un bol ou un verre servant de mesure

Fais-toi aider d'un adulte pour la cuisson.

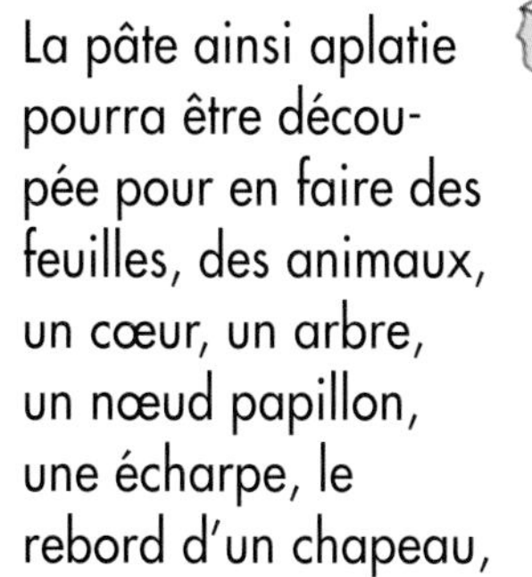

La pâte ainsi aplatie pourra être découpée pour en faire des feuilles, des animaux, un cœur, un arbre, un nœud papillon, une écharpe, le rebord d'un chapeau, etc.

Tu peux détacher ces formes avec des ciseaux de cuisine ou avec un couteau pointu. Pour imprimer des modèles dessus, sers-toi d'une épingle ou d'un cure-dent.

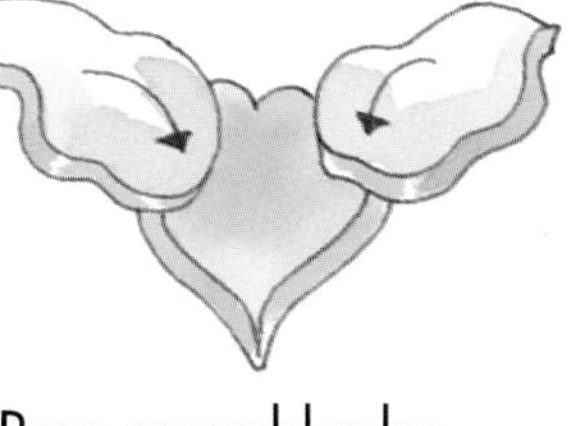

Pour assembler les divers morceaux, mouille un peu la pâte et appuie légèrement sur les bords que tu veux coller.

3 - Ajoute de la couleur.
Si tu veux teindre la pâte, tu as le choix entre la colorer avant cuisson ou peindre tes figurines une fois cuites.

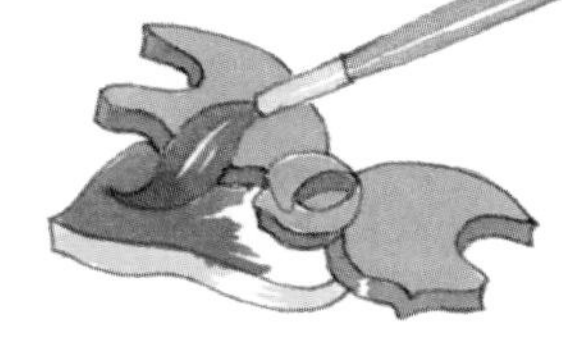

Pour obtenir de la pâte colorée en masse, roule quelques boules, creuse-les un peu et verse de la gouache dans le trou. Pétris ensuite les boules pour que la couleur se répartisse bien partout.

Peindre l'objet déjà cuit te permet d'obtenir une plus grande variété de nuances et de soigner les détails.
Utilise des feutres, de l'encre ou de la peinture.

4 - La cuisson.
Un objet en pâte à sel que l'on veut conserver longtemps doit être bien cuit. Si tu ne peux pas le mettre au four tout de suite, conserve-le au réfrigérateur dans un sac en plastique.

Recouvre d'abord la plaque du four d'une feuille d'aluminium et pose tes figurines dessus.
Si tu disposes d'un four à gaz, compte trois heures au moins pour la cuisson d'un objet

d'épaisseur moyenne (environ 1 cm). Le four ne doit pas être trop chaud (thermostat 1 ou 2) : en fait, tes objets vont sécher lentement. Si tu fais cuire les figurines au four électrique, il faut doubler le temps de cuisson.
Le séchage à l'air peut être employé parfois pour des objets de toute petite taille.

En général, cette méthode
est très longue et risque
de déformer l'objet.

5 - Astuces et éléments
décoratifs.
Si tu veux accrocher les objets
en pâte à sel, achète quelques
attaches dans les magasins
de bricolage et
enfonce-les dans la
pâte avant de
la mettre au four.
Tu peux décorer
la pâte à sel avec

des lignes ou des points tracés
à l'aide d'un objet pointu.
Une autre technique répandue
consiste à appliquer contre

la figurine, des boutons, des
morceaux de tissu en relief
(dentelle...) ou
des coquillages
qui laisseront
leur empreinte
dans la pâte.

TOUT UN MONDE EN PÂTE À SEL

Voici quelques modèles qui feront de beaux cadeaux à offrir lors de la fête des Mères, à Noël ou pour l'anniversaire d'un ami. Quand tu auras acquis la technique, façonne aussi un bonhomme de neige, un cœur, une fleur, un serpent ou un poisson...

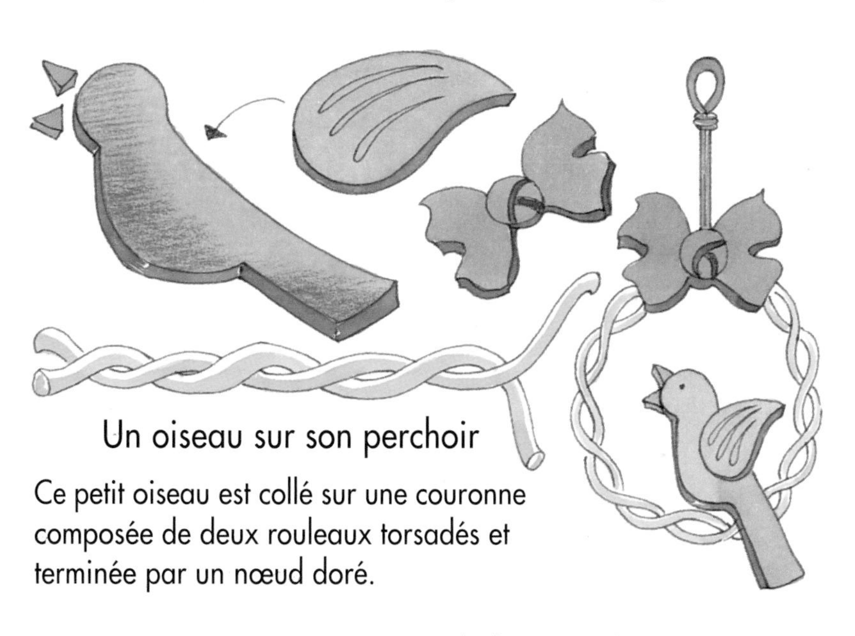

Un oiseau sur son perchoir

Ce petit oiseau est collé sur une couronne composée de deux rouleaux torsadés et terminée par un nœud doré.

La couronne de l'Avent

La couronne est une tresse faite avec trois rouleaux de pâte. Colle les quatre bougies et les deux nœuds sur la tresse en les mouillant avec un peu d'eau.

Le cerisier

Prépare cinq boules de pâte de taille moyenne. Donne à l'une la forme de l'herbe, à une autre l'allure d'un tronc, et modèle la couronne de l'arbre avec les trois boules restantes.

Assemble les différentes parties de l'arbre.

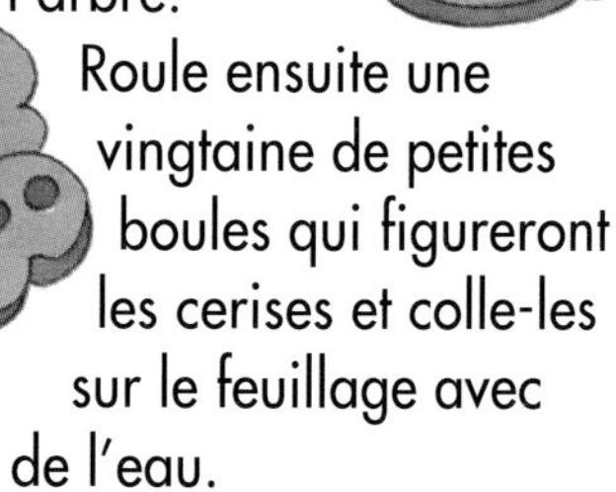

Roule ensuite une vingtaine de petites boules qui figureront les cerises et colle-les sur le feuillage avec de l'eau.

Cuis ton cerisier et peins-le.

La tête de clown

Prépare quatre boules de pâte à sel. Modèle l'une d'entre elles pour en faire une tête ovale. Coupe sa partie supérieure pour y poser le chapeau.

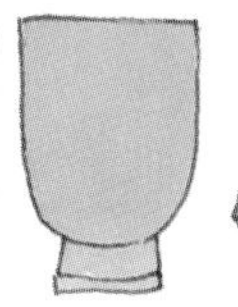

Donne à la deuxième boule la forme d'une calotte et coiffes-en la tête. Coupe une autre boule en deux et façonne les cheveux. Avec la dernière boule tu feras quelques détails importants : la bande autour du chapeau, le nez, les yeux, la bouche et le nœud papillon.

Mets ton modèle au four et peins-le en couleurs vives.

DES COOKIES AU CHOCOLAT

Invite tes amis à un goûter où ils pourront apprécier tes talents de pâtissier. Les cookies au chocolat, c'est facile, et tu peux en faire plein!

CE QU'IL TE FAUT

USTENSILES :
Un saladier
Une cuillère en bois
Une spatule

INGRÉDIENTS :
(pour une quarantaine de biscuits)
140 g de beurre
180 g de chocolat noir
100 g de sucre roux
100 g de sucre semoule
Une cuillère à café d'extrait de vanille
Un œuf
225 g de farine
Une cuillère à café de levure
Une pincée de sel
Des noix décortiquées (facultatif)

1 - Fais ramollir le beurre dans le saladier et mélange-le bien avec le sucre roux et le sucre semoule.

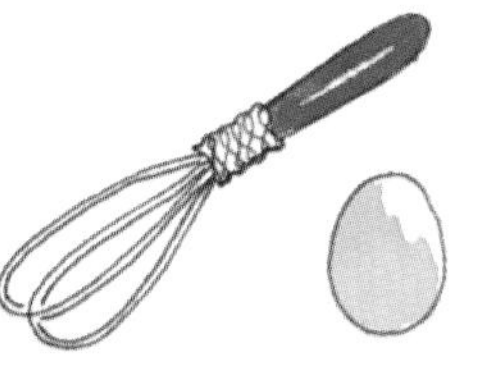

2 - Ajoute la vanille et l'œuf, puis tourne la préparation au fouet.

3 - Incorpore peu à peu la farine, la levure et une pincée de sel.

4 - Casse le chocolat en très petits morceaux que tu ajouteras délicatement au mélange. Tu peux

y incorporer aussi quelques morceaux de noix.

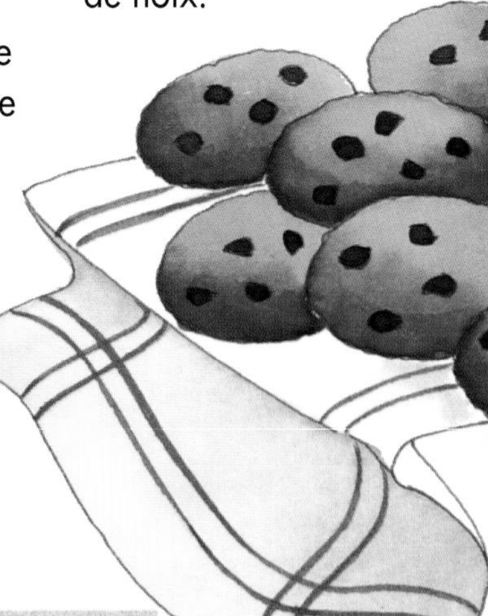

PRÉPARATION :
30 minutes

CUISSON :
10 minutes environ

Fais-toi aider d'un adulte.

5 - Fais chauffer le four (thermostat 6). Beurre une plaque du four ou un moule plat.

Avec une cuillère à café, prélève de petites quantités de pâte et pose-les sur la tôle graissée. Les tas doivent être assez espacés car ils vont s'étaler sous l'effet de la chaleur.

6 - Mets au four pendant dix minutes environ. N'oublie pas que les bons cookies sont moelleux, pas trop cuits.

7 - Sors les biscuits du four.

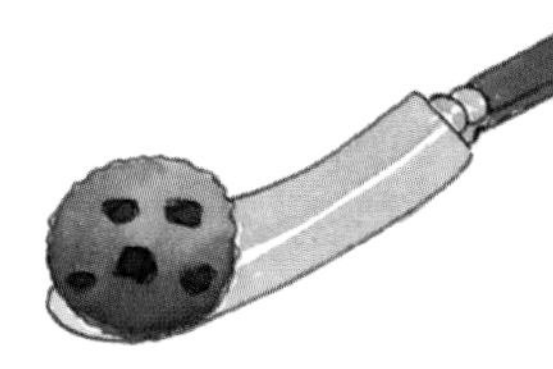

Attends quelques minutes avant de les décoller de la plaque. Présente-les sur un joli plat.

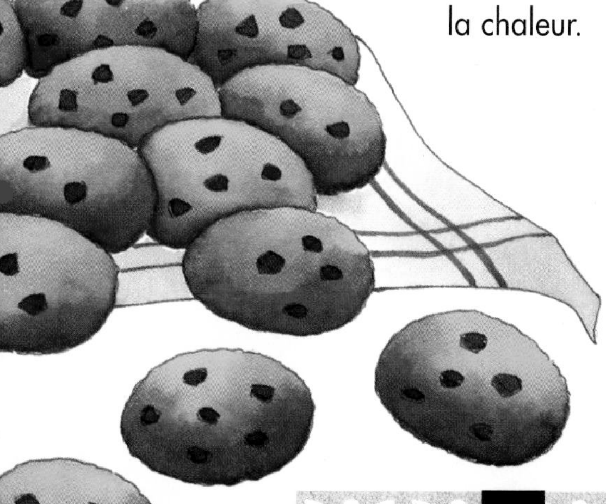

LE MENTEUR

Comme dit une expression populaire : « Il faut le voir pour le croire ». Quand les cartes ont le dos tourné, les joueurs peuvent mentir à souhait. Vérifie donc leurs dires. Et si tu t'étais trompé? Après tout, c'est le plus malin qui gagnera!

CE QU'IL TE FAUT

Un jeu de 52 cartes

Comment jouer

Deux à six joueurs prennent place autour de la table. À deux ou à quatre, on se partage équitablement toutes les cartes.
Pour une partie à trois, chaque joueur reçoit 17 cartes ; cinq joueurs auront chacun 10 cartes, et six joueurs en auront 8 seulement. Le restant des cartes sera mis de côté, hors jeu.

1 - C'est le joueur à la gauche du donneur qui commence. Il met une carte sur la table, face cachée, en

annonçant une couleur (trèfle, cœur...) qui peut être celle de la carte ou une autre.
Il a le choix : dire la vérité ou mentir.

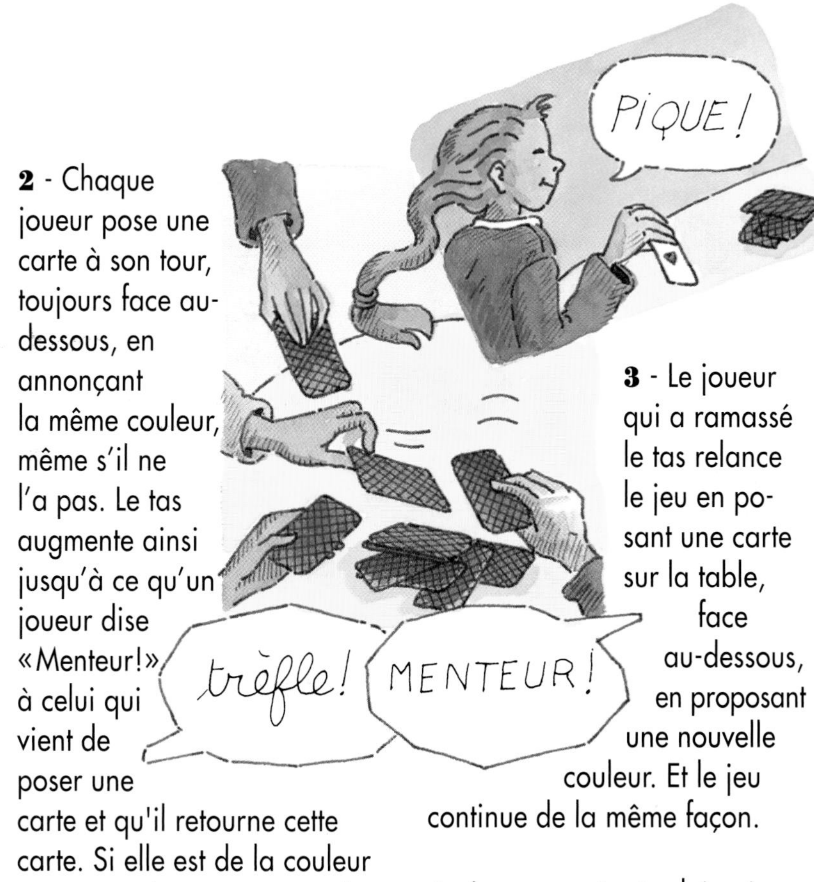

2 - Chaque joueur pose une carte à son tour, toujours face au-dessous, en annonçant la même couleur, même s'il ne l'a pas. Le tas augmente ainsi jusqu'à ce qu'un joueur dise «Menteur!» à celui qui vient de poser une carte et qu'il retourne cette carte. Si elle est de la couleur annoncée, le joueur qui a dit « Menteur ! » ramasse le tas. Si elle n'est pas de la bonne couleur, c'est le menteur qui prend tout.

3 - Le joueur qui a ramassé le tas relance le jeu en posant une carte sur la table, face au-dessous, en proposant une nouvelle couleur. Et le jeu continue de la même façon.

4 - Le gagnant est celui qui se débarrasse le premier de toutes ses cartes. Il compte autant de points que les autres ont conservé de cartes en main.

CULTIVE TON MINI-JARDIN !

Un petit jardin au dixième étage? C'est possible! Dispose des pots ou une jardinière sur le rebord de ta fenêtre ou sur ton balcon. Bien soignées, les plantes pousseront au fil des saisons et donneront des fleurs éclatantes de couleur.

CE QU'IL TE FAUT

Une jardinière

Du terreau

Des petits cailloux ou du gravier

Des bulbes de crocus, tulipe, jonquille, etc.

Des graines de plantes en pots

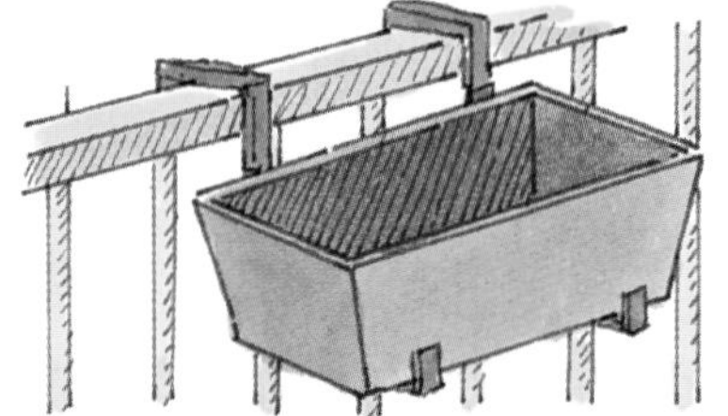

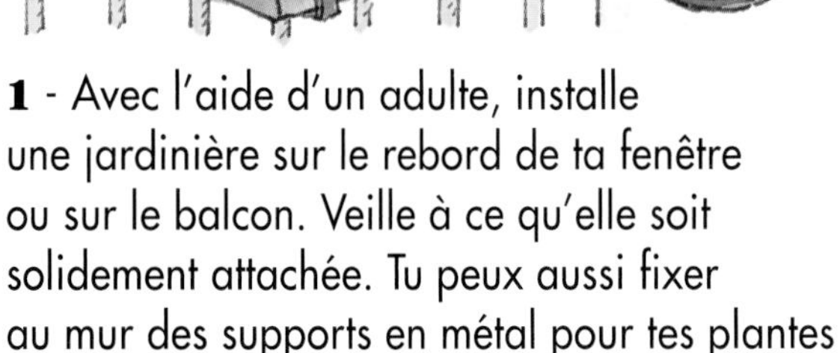

1 - Avec l'aide d'un adulte, installe une jardinière sur le rebord de ta fenêtre ou sur le balcon. Veille à ce qu'elle soit solidement attachée. Tu peux aussi fixer au mur des supports en métal pour tes plantes en pots.

2 - Garnis le fond de la jardinière d'une couche de gravier ou de petits cailloux, remplis-la de terreau.

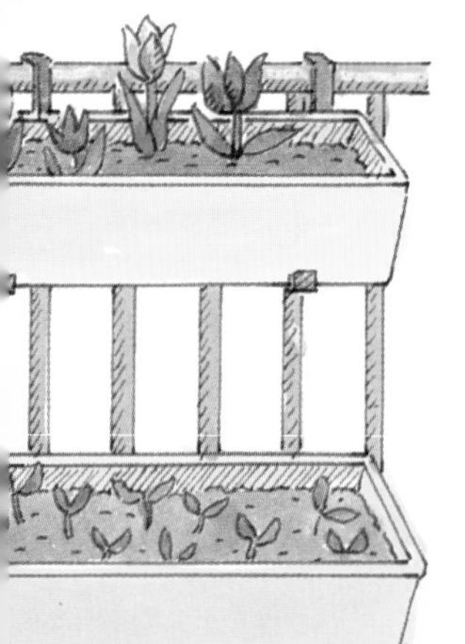

Dans ta jardinière, plante des bulbes, repique des plantules ou fais des semis. Renseigne-toi sur la période de floraison des différentes espèces et établis un calendrier de travail pour avoir des fleurs tout au long de l'année.

Calendrier de travail

Au printemps

1 - Nettoie ta jardinière.
Enlève les plantes fanées et les bulbes épuisés.

2 - Prépare le sol et sème les plantes annuelles qui fleuriront cet été : capucines, cosmos, immortelles, mufliers, pétunias, pois de senteur, soucis, impatiences...

3 - Sème ensuite les bisannuelles et plante des touffes de vivaces (végétaux qui fleurissent plusieurs années de suite) : ancolies, digitales, œillets, mignardises...

En été

1 - Sème les myosotis, pâquerettes, pensées... que tu planteras en automne.

2 - Plante les pousses qui résultent de ton semis de printemps. Installe aussi dans ta jardinière les plantes que tu as achetées en godets.

3 - Sème les espèces qui fleuriront l'an prochain : gypsophiles, mufliers, lupins, primevères, juliennes, marguerites...

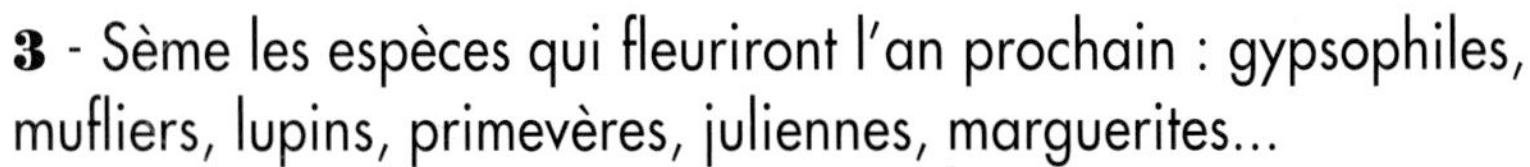

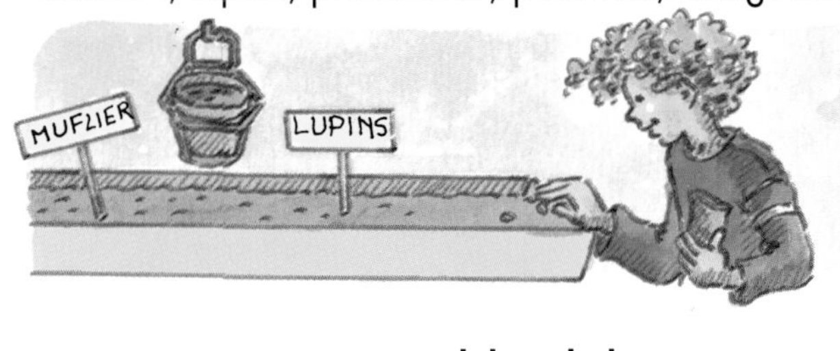

Au début de l'automne

1 - Sème quelques plantes bisannuelles et plante des touffes de vivaces qui fleuriront l'été prochain : pois vivaces, ancolies, pavots...

2 - Divise les grosses touffes de marguerites, pavots vivaces, coréopsis, gaillardes...

3 - Déterre les plants. Sépare tiges et racines en tirant dessus. Replante aussitôt. Arrose abondamment.

4 - Ôte les fleurs et les feuilles fanées des géraniums qui fleuriront jusqu'aux gelées, puis rentre les pots.

5 - Plante les bulbes dont tu verras les fleurs dès la fin de l'hiver : perce-neige, scilles, narcisses...

En hiver

Beaucoup de plantes se reposent dehors pendant la saison froide. D'autres ont besoin d'être placées dans une pièce fraîche, à l'abri du gel.
À l'intérieur, fais pousser des plantes bulbeuses en pots et sur des galets.

PAPIER MARBRÉ

Il offre, une fois sec, un joli aspect de papier reliure. Il te servira à recouvrir des objets pour de charmants cadeaux : matériel de bureau, boîte à bijoux, agenda, album de photos.

CE QU'IL TE FAUT

Du vernis vitrail à froid

Une bassine

Des feuilles de papier

Des épingles à cheveux

Des vieux journaux

Du white spirit (à poser loin d'un feu)

1- Remplis ta bassine d'eau jusqu'aux 2/3. Choisis 2 ou 3 couleurs assorties de vernis vitrail.

2 - Disperse quelques gouttes de vernis vitrail, elles vont flotter. Attends de 10 à 60 secondes.

3 - Mélange les couleurs avec les baguettes ou des épingles à cheveux. Trace des traits, des tourbillons, régulièrement ou non, sur toute la surface de l'eau.

4 - Étale une feuille de papier sur la surface de l'eau, en commençant par

un bord. Retire-la avec précaution. Pose-la sur un vieux journal et laisse-la sécher.

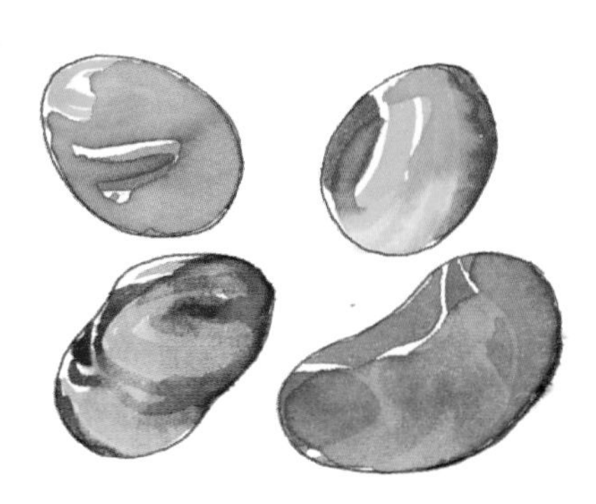

5 - Tu peux remplacer la feuille de papier par un galet ou une coquille d'œuf.

6 - Nettoie le matériel avec du white spirit.

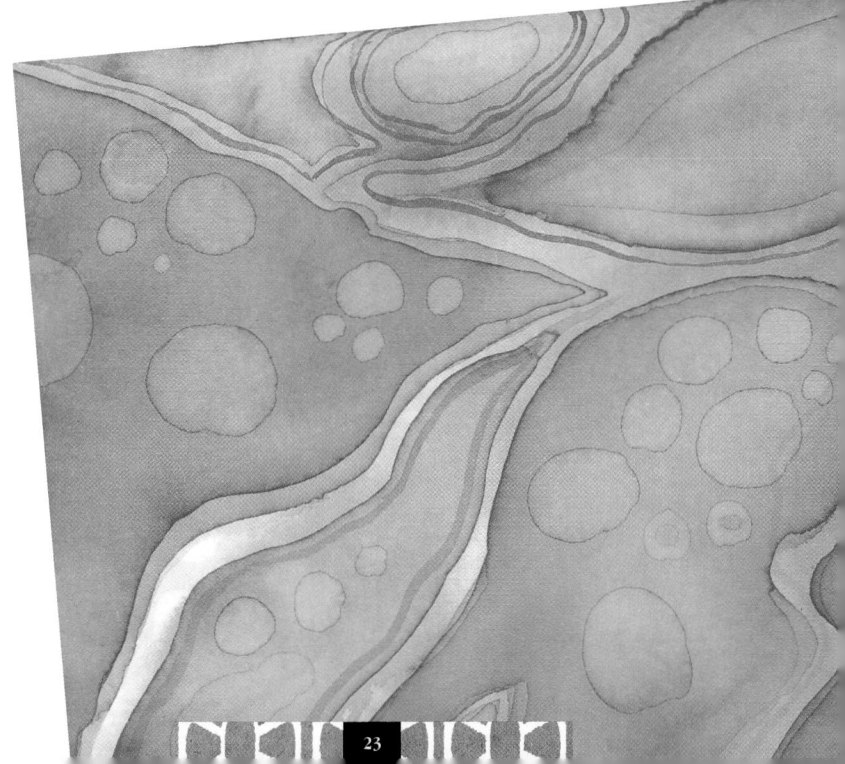

PAPIER TISSÉ

Avec des papiers bien choisis, réalise des cadeaux sympa. Attachés à un fil, les cœurs deviennent des décors de fête ou d'arbre de Noël. Ils peuvent aussi marquer les places à table ou faire des cartes de vœux, d'anniversaire ou de Saint-Valentin.

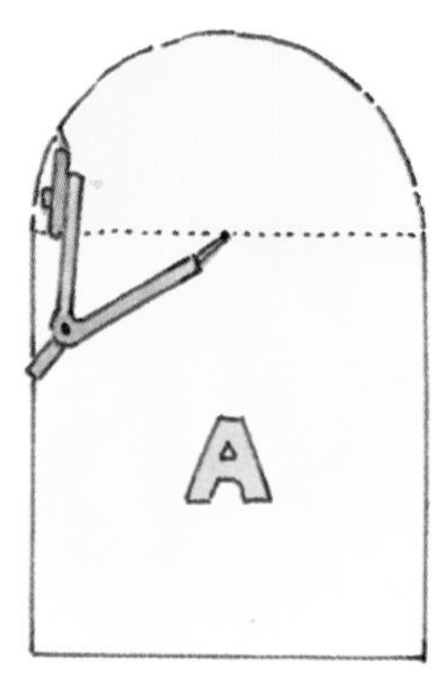

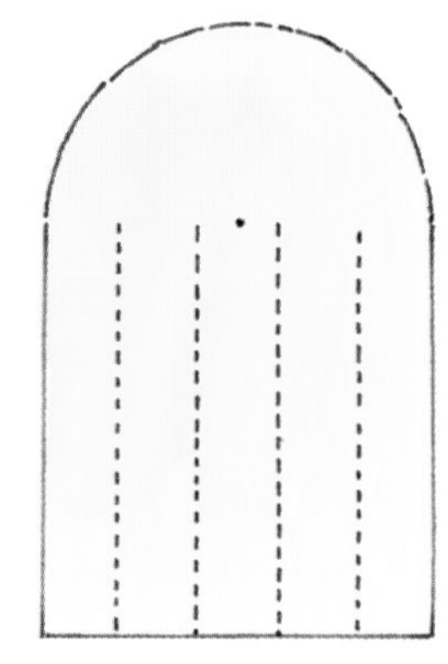

CE QU'IL TE FAUT

Des ciseaux

Un compas

Une règle

Un crayon

Une gomme

De la colle

Du papier à dessin de deux couleurs différentes

1 - Choisis deux couleurs contrastées de papier : rouge et vert, ou doré et noir, ou rose et bleu.

2 - Agrandis le dessin A pour obtenir les dimensions données. Le modèle est formé d'un carré et d'un demi-cercle.

3 - Dessine-le sur le papier à dessin.

Trace à la règle des traits tous les 3 cm.

4 - Fais un second dessin semblable sur le papier d'une autre couleur.

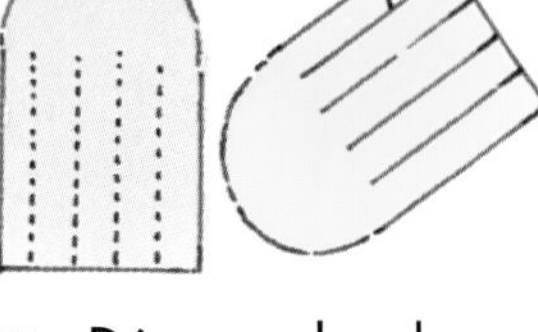

5 - Découpe les deux dessins.

6 - Tisse-les pour obtenir un cœur. Colle les extrémités.

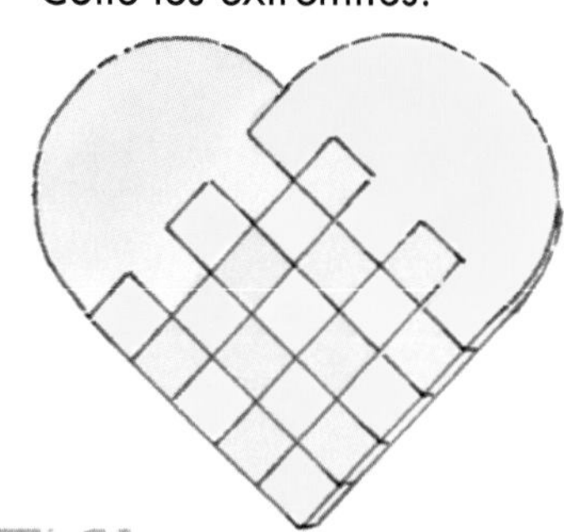

SETS DE TABLE

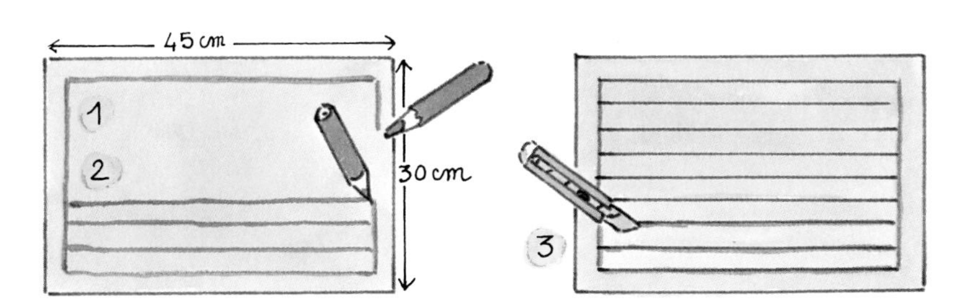

Ce qu'il te faut

Du papier à dessin de couleur

Un cutter (attention, c'est dangereux)

Des ciseaux

Des papiers fins de diverses couleurs

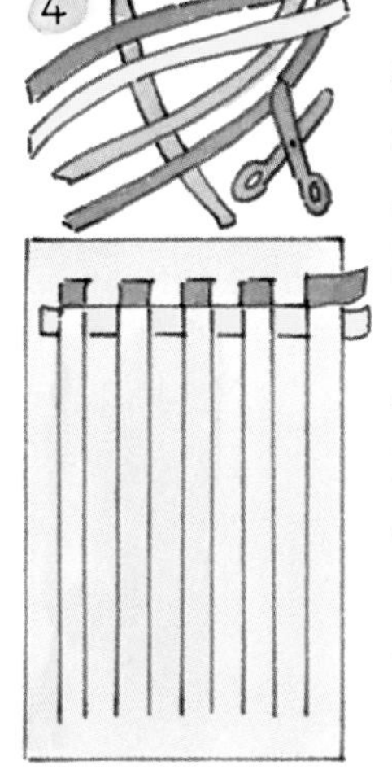

1 - Découpe deux rectangles de 45 x 30 cm dans le papier à dessin. Sur l'un d'eux, trace un trait de crayon à 3 cm du bord tout autour.

2 - Trace des lignes sur la longueur tous les 2 cm.

3 - Découpe avec un cutter le long de ces lignes. Gomme les traces de crayon.

4 - Découpe 22 bandes de papier de 28 cm de long. Utilise soit du papier fin de couleur, soit du papier métallisé, soit encore les pages en couleurs des magazines.

5 - Tisse ces bandes sur et sous les lignes découpées du rectangle.

6 - Coupe les bandes qui dépassent. Toutes les extrémités doivent être du même côté ; fixe-les par un point de colle.

7 - Colle le second rectangle de papier sur l'envers du set.

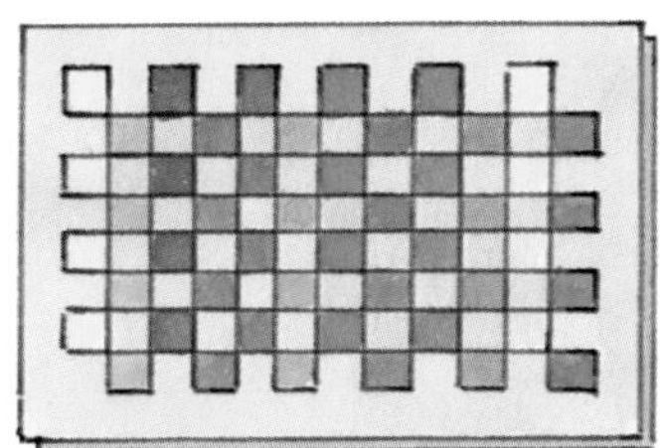

LES FRUITS DÉGUISÉS

Fête, anniversaire, goûter avec des amis... les occasions ne manquent pas pour croquer des fruits secs en habit de carnaval.

CE QU'IL TE FAUT

USTENSILES

Un couteau

Un plat ou un joli plateau avec napperon

INGRÉDIENTS

(pour une dizaine de personnes)

10 pruneaux

10 dattes

10 cerises confites

Des amandes

Des cerneaux de noix

100 g de pâte d'amande verte, rose et blanche

Du sucre cristallisé

1 - Coupe en deux les dattes et les pruneaux, et enlève leur noyau.

Ouvre également les cerises. Place les amandes et les cerneaux de noix à portée de main.

2 - Prends la pâte d'amande – choisis la couleur qui va avec celle du fruit. Forme des petites boules et

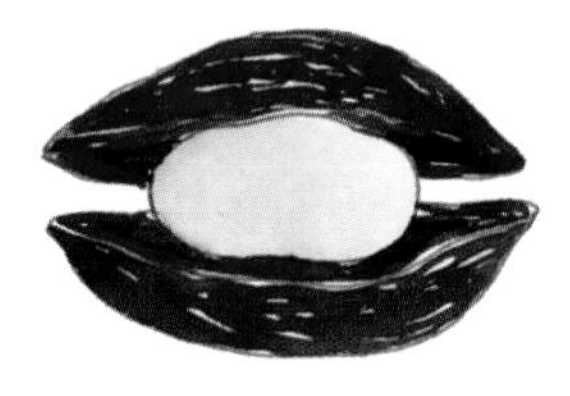

glisse-les à l'intérieur des fruits. Appuie légèrement pour refermer, puis roule les fruits dans du sucre cristallisé.

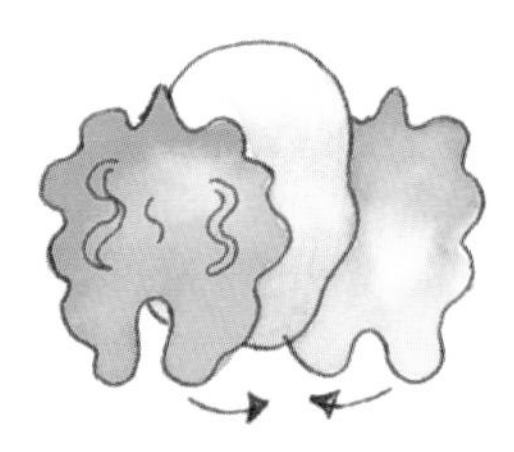

3 - Colle deux à deux les cerneaux de noix et les amandes avec la pâte restante.

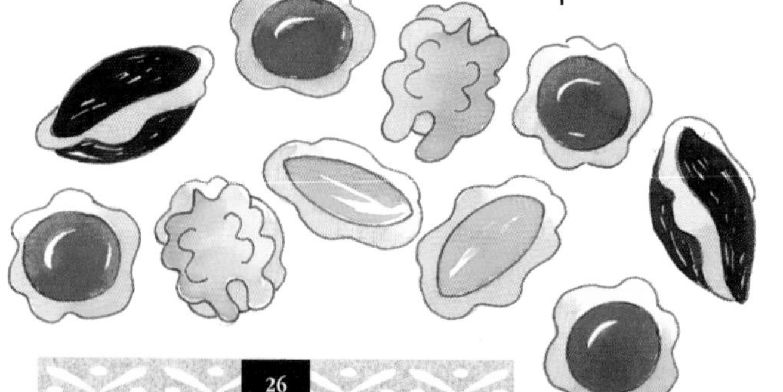

LE PAIN PERDU

Autrefois dessert des pauvres, puis oublié pendant des décennies, le pain perdu revient aujourd'hui à la mode. C'est une pâtisserie très économique et facile à réaliser, que tu peux décorer de mille façons.

Ce qu'il te faut

Ustensiles

Un saladier

Une grande poêle

Une fourchette

Ingrédients

(pour 6 personnes)

Un demi-verre de lait

100 g de sucre semoule

Un sachet de sucre vanillé

5 œufs

200 g de beurre

12 tranches de pain rassis

Préparation :

15 minutes

Cuisson :

15 minutes environ

1 - Casse les œufs dans un saladier et bats-les en omelette. Ajoute le sucre semoule et le sucre vanillé. Ajoute aussi le lait et mélange bien le tout.

2 - À l'aide d'une fourchette, trempe chaque tranche de pain dans cette préparation.

3 - Fais fondre le beurre à feu doux dans une poêle.

4 - Pose les tranches imbibées de lait sucré dans la poêle et fais-les rissoler dans le beurre brûlant. Pour être bien dorées, elles doivent cuire deux minutes de chaque côté.

5 - Saupoudre les tranches de pain perdu avec du sucre en poudre et décore-les avec des morceaux de fruits frais (fraises, kiwis, bananes...) ou confits.

LES DÉS GRAMMATICAUX

Voici un jeu de société amusant à fabriquer toi-même. Invite tes amis à former des phrases avec les dés en carton.

Ce qu'il te faut

Du papier-calque

Une feuille de papier à dessin

Des crayons de couleur ou des feutres

Un crayon noir

Des ciseaux

De la colle

Pour faire les dés

1 - Décalque puis découpe quatre cubes selon le patron. Avant de passer à l'assemblage, tu peux colorier chaque cube avec un crayon de couleur différent.

2 - Chaque cube représente une catégorie de mots nécessaires pour former une phrase. Inscris donc un mot de la même catégorie sur les six facettes de chaque cube.

– Le premier cube comporte des **sujets**. Écris donc un nom commun au masculin singulier sur chaque face du cube. Voici quelques exemples : *le pont, le feu, l'espoir, le ventre, le paysage, l'okapi, le chat, le chêne, le paradis, le fer...*

– Le deuxième cube est celui des **verbes**. Note-les à la troisième personne du singulier : *dort, attend, rage, éternue, écoute, chante, prend, dévore, étale, soupire...*

– Le troisième cube

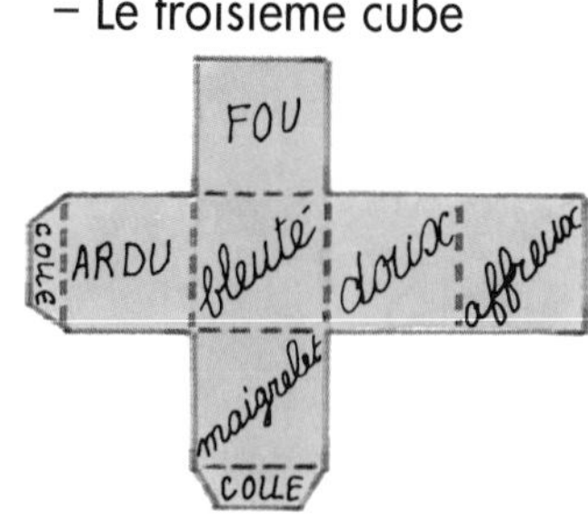

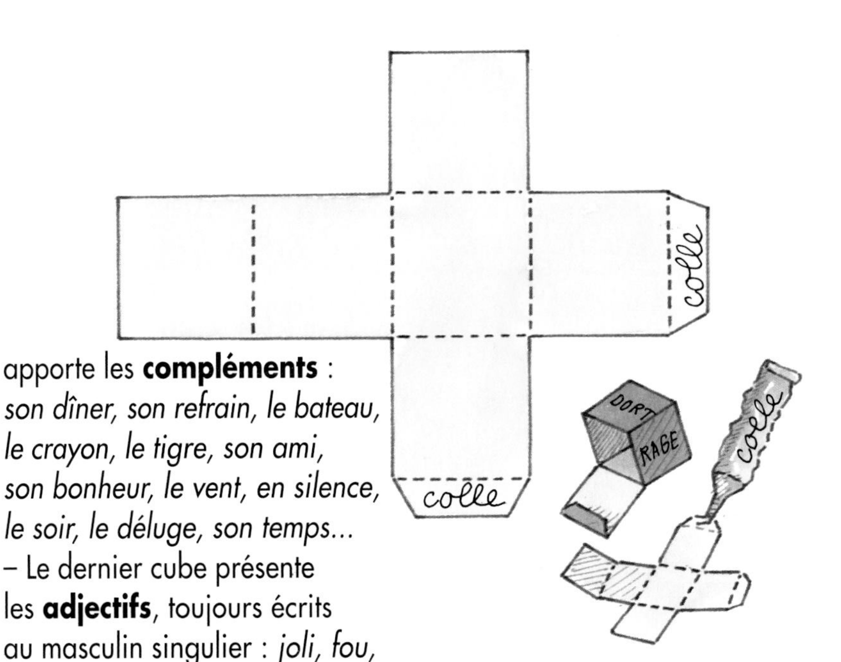

apporte les **compléments** : *son dîner, son refrain, le bateau, le crayon, le tigre, son ami, son bonheur, le vent, en silence, le soir, le déluge, son temps...*
– Le dernier cube présente les **adjectifs**, toujours écrits au masculin singulier : *joli, fou, délicieux, ardu, bleuté, maigrelet, blême, doux, ardent, méchant, timide...*

3 - Plie les cubes sur les pointillés. Assemble-les en collant les languettes.

Comment jouer

On peut jouer à deux ou à plusieurs.
Chaque joueur lance les quatre dés et compose une phrase avec les mots qui apparaissent au-dessus des cubes. L'adjectif peut accompagner le sujet ou le complément. Chaque joueur compte un point pour toute phrase valable qu'il écrit (*le joli chat attend son dîner* est valable, *le pont délicieux rage* n'est pas valable). Le premier joueur qui totalise dix points gagne une partie.
On peut imaginer plusieurs variantes de ce jeu :
tous les cubes sont en double (deux cubes sujets, deux cubes

verbes), tous les mots sont au féminin, tous les mots sont au pluriel, etc.

LES FLEURS DE A À Z

Si tu veux que ton jardin se pare de belles couleurs en été, tu dois commencer à t'en occuper au printemps. D'abord sème des graines dans un bac. Fin avril-début mai, les pousses seront assez fortes pour être plantées en pleine terre ou dans une jardinière qui égayera ton balcon.

Ce qu'il te faut

Un bac

Du terreau

Des graines de plantes annuelles et bisannuelles

Une feuille de plastique

Un petit arrosoir ou vaporisateur

Une cuillère

Une jardinière

1 - Remplis un bac aux trois quarts avec du terreau. Pose les graines dessus en rangées régulières.

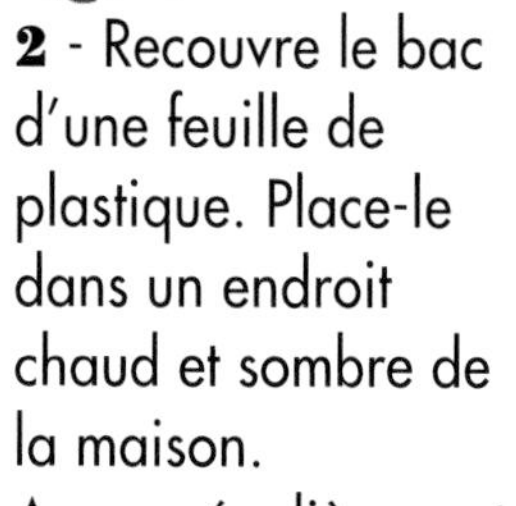

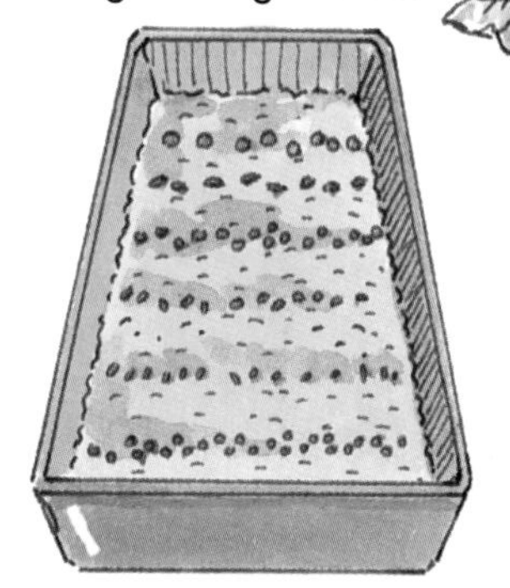

Recouvre délicatement d'une fine couche de terreau et arrose avec un petit arrosoir ou un vaporisateur.

2 - Recouvre le bac d'une feuille de plastique. Place-le dans un endroit chaud et sombre de la maison.
Arrose régulièrement : le terreau doit toujours être un peu humide.

3 - Dès que les pousses apparaissent, retire le plastique et installe le bac dans un lieu clair et pas trop frais. Veille à ce que les plantes ne soient pas exposées au soleil direct, qui pourrait les brûler.

4 - Quand les plantules atteindront quelque 5 cm de haut, enlève les plus faibles d'entre elles afin que les plus grandes puissent se développer.

5 - Dès qu'il fait assez chaud (15 °C), tu peux mettre ton bac dehors – au départ, pendant quelques heures par jour seulement – pour que les plantes s'habituent au grand air. Installe-les ensuite dans une jardinière plus grande ou plante-les directement dans ton jardin.

Choix des plantes

Plantes annuelles

Leur cycle de vie s'accomplit en un an : la graine semée au printemps devient une plante qui fleurit en été et meurt au début de l'automne après avoir produit des graines.
Exemples : zinnias, capucines, pois de senteur, immortelles, impatientes, soucis...

Plantes bisannuelles

Elles se développent plus lentement : la première année, on voit quelques fleurs ou des rosettes de feuilles, mais la vraie floraison n'a lieu que la deuxième année.
Exemples : pensées, myosotis, giroflées ravenelles,

LE MYSTÈRE DE LA DAME DE CŒUR

Les rois et les reines des cartes inspirent les magiciens depuis toujours. Avec un peu d'exercice, tu arriveras à « deviner » les cartes aussi bien qu'eux et tu pourras étonner tes amis !

Ce qu'il te faut

Un jeu de 52 cartes

1 - Marque le dos d'une carte, la dame de cœur par exemple, d'un signe discret mais qui te permettra de la reconnaître rapidement.

2 - Étale le jeu de cartes face contre le tapis. Repère l'emplacement de la dame de cœur ; elle doit se trouver de

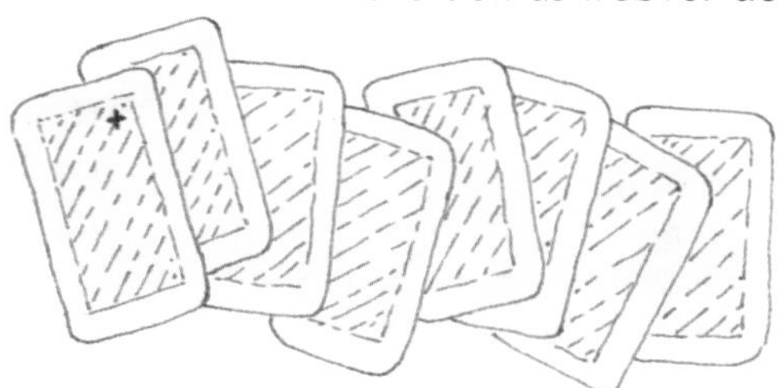

préférence tout à fait à gauche dans le tas de cartes en désordre.

3 - Demande à un de tes copains de choisir une carte dans le tas en lui disant : « Tu choisiras la dame de cœur. »

4 - Ton copain tire une carte au hasard et te la tend sans la regarder. Tu l'examines, sans la montrer aux autres, et tu déclares : « C'est bien la dame de cœur ! » Ce sera, bien entendu, une autre carte, disons l'as de carreau.

5 - Mets cette carte sous la dame de cœur, dont tu es le seul à connaître l'emplacement. Dis ensuite : « Eh bien, moi, je vais choisir... l'as de carreau ! »

6 - Tire une carte quelconque, regarde-la sans la montrer à l'assistance et annonce : « C'est bien l'as de carreau ! » En fait, c'est une autre carte, peut-être le dix de trèfle.

7 - Range cette carte sous l'as de carreau et demande à ton copain de tirer le dix de trèfle. Procède ainsi avec trois ou quatre autres cartes « choisies » de la même manière. Prends ensuite le paquet rassemblé sur le côté sous la dame de cœur et retourne les cartes l'une après l'autre.
Tes amis n'en reviendront pas !

SIMPLE COMME UN MARQUE-PAGE

En deux temps trois mouvements, invente ce cadeau amusant et utile qui fera plaisir à tout le monde.

CE QU'IL TE FAUT

Du carton léger

Un crayon

Une règle

Des ciseaux

Une tasse ou un verre

De la colle

POUR DÉCORER LE MARQUE-PAGE :

Du papier de couleur

Des feutres

De la peinture

Des gommettes

Des morceaux de tissu

1 - Découpe un rectangle de carton de 4 x 16 cm.

2 - Pose une tasse ou un verre sur un autre

morceau de carton et trace le cercle tout autour. Découpe la rondelle et colle-la au bout du rectangle. Ton marque-page est prêt.

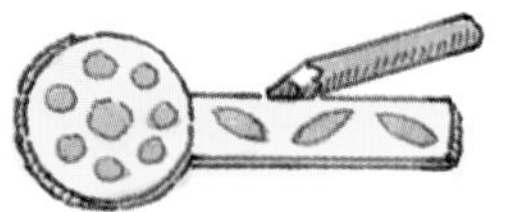

3 - Décore-le avec les matières et les motifs de ton choix : dessins au feutre, gommettes, collage de tissus, etc. Autres idées : découpe des étiquettes pour écrire des noms, ou découpe un animal ou un cœur à la place du rond...

UN JEAN VIDE-POCHES

Tu as du mal à te séparer de ton vieux jean? Voici une idée bien sympathique qui te permettra de le garder encore longtemps en le rendant utile... au prix d'une heure de couture.

Ce qu'il te faut

Un vieux jean

Des ciseaux

Une aiguille

Du fil à coudre

Une baguette

Un cordon

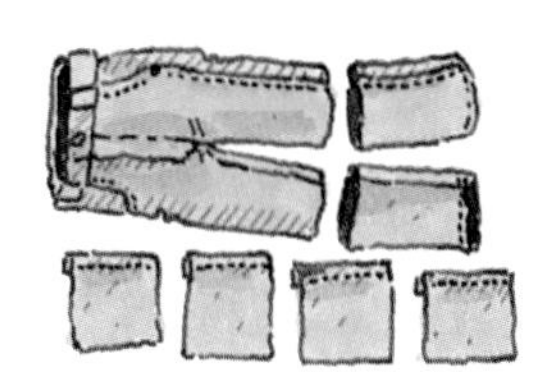

1 - Commence par couper le bas de chaque jambe. Tu obtiens ainsi assez de tissu pour en faire quatre poches dont tu ourles le haut.

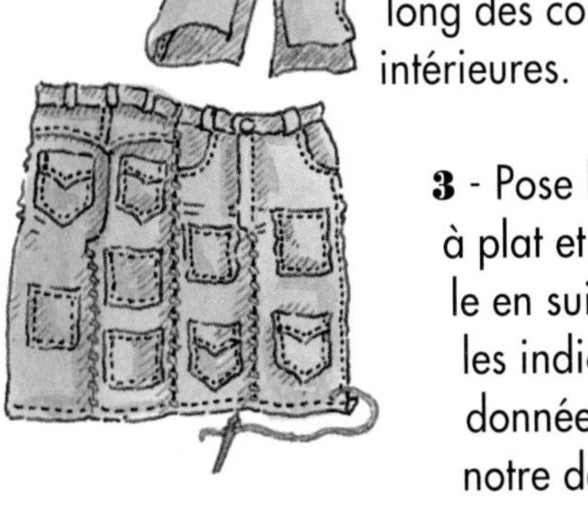

2 - Découpe le jean le long d'une couture extérieure, puis découpe le long des coutures intérieures.

3 - Pose le jean à plat et couds-le en suivant les indications données sur notre dessin.

4 - Couds ensuite les poches supplémentaires. Tu peux aussi récupérer de vraies poches sur d'autres jeans.

5 - Glisse une baguette (ou une tringle à rideaux, un tourillon, etc.) dans les passants de la ceinture. Fixe un cordon pour suspendre ton vide-poches.

EMPREINTES AU TAMPON

Avec une pomme de terre et un peu de gouache, tu peux imprimer des cartes de vœux ou d'invitation, des étiquettes et du papier cadeau.

CE QU'IL TE FAUT

Un couteau fin

Une assiette

Des feutres

De la gouache

De la peinture spéciale pour tissu

Une planche à découper

Des légumes et des fruits (pomme de terre, oignon, poivron, carotte, pomme...)

Un coup de tampon végétal

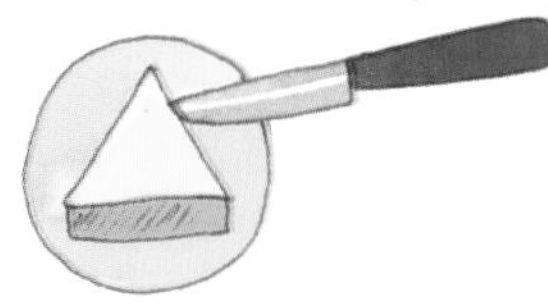

1 - Coupe une grosse pomme de terre en deux et essuie-la.

2 - Dessine une forme simple sur le plat de la pomme de terre et détoure-la en profondeur : le modèle doit apparaître en relief. Procède de la même manière avec l'autre moitié.

3 - Mélange un peu de peinture avec de l'eau dans une assiette. Étale-la en couche mince : ce sera ton « encrier ».

4 - Trempe le relief de la pomme de terre dans la peinture et applique-le sur une feuille de papier ou un carré de carton blanc.
D'autres légumes et fruits à chair ferme peuvent servir de tampons.
Utilise des formes et des couleurs variées.

Une gomme sculptée, des feuilles d'arbre ou des plumes servent souvent aussi à imprimer. Avec de la peinture pour tissu, décore de cette façon un tee-shirt...

Une gomme

Des bouchons

Des feuilles d'arbre, des plumes...

SUPPORTS :
Des feuilles de papier ou de carton

Du tissu

La gomme : on dirait un vrai tampon !

Une grosse gomme blanche fera un excellent tampon.
De plus, tu pourras l'utiliser plus longtemps, alors que la pomme de terre et les fruits s'abîment rapidement.

2 - Trempe le sceau ainsi obtenu dans la peinture et... imprime !

1 - Dessine une forme sur ta gomme et découpe ensuite au cutter suivant le contour.

Des bouchons sculptés, un morceau de dentelle ou de simples allumettes laissent aussi de belles empreintes sur le papier ou le tissu.

Les trésors du jardin

Tu veux offrir une boîte ou un cadre qui porte le cachet de la nature ?

1 - Ramasse des feuilles d'arbre ou d'arbuste aux bords dentelés et quelques plumes de différentes tailles.

2 - Trempe-les dans la peinture et pose-les ensuite sur le support voulu (papier ou tissu).

3 - Recouvre d'un bout de papier avant d'appuyer.

4 - Répète l'opération plusieurs fois pour décorer toute la surface.

Tu peux aussi coller le papier ou le tissu sur un carton fin pour en faire une carte d'invitation, une carte postale ou un marque-page.

MILLE ET UNE FORMES AU POCHOIR

Si tu veux répéter un motif décoratif sans avoir à le redessiner, le pochoir est la solution idéale. Tu peux l'appliquer sur une feuille de papier ou un tissu et en faire ensuite des cadeaux très originaux : un tableau prêt à encadrer, un foulard imprimé, un emballage de fête...

CE QU'IL TE FAUT

Une feuille de carton léger, ou bien un morceau de polystyrène, d'aluminium ou de plastique transparent assez épais

De la gouache

De la peinture spéciale pour tissu

Des ciseaux

Une éponge

Des pinceaux

Du papier ou du tissu

Un cutter

Une planche à découper

Des trombones

Du ruban adhésif double face

1 - Pour fabriquer un pochoir, dessine d'abord la forme de ton choix sur un

support. Pose celui-ci sur la planche et découpe en suivant le contour.

2 - Place ton pochoir sur une feuille de papier ou un morceau de tissu. Pour l'attacher fermement, tu peux te servir de trombones ou

du ruban adhésif double face.

3 - Plonge l'éponge dans la peinture et applique-la sur le creux du pochoir. Soulève le pochoir, pose-le un peu plus loin sur la feuille ou le tissu et recommence. Laisse sécher.

LA BATAILLE

Jeu de chance, la bataille se joue à deux. Celui qui aura pris toutes les cartes sera le gagnant.

Prends un jeu complet de 52 cartes et élimine les cartes de 1 à 6. Tu obtiens ainsi **un jeu de 32 cartes**, qui sont, par ordre décroissant : les as, les rois, les dames, les valets, les dix, les neuf, les huit et les sept. On ne tient pas compte des couleurs.
Une fois les cartes mêlées et coupées, le donneur distribue seize cartes à chacun, une par une ou deux par deux.
Les joueurs posent leur paquet à leur droite, face cachée.

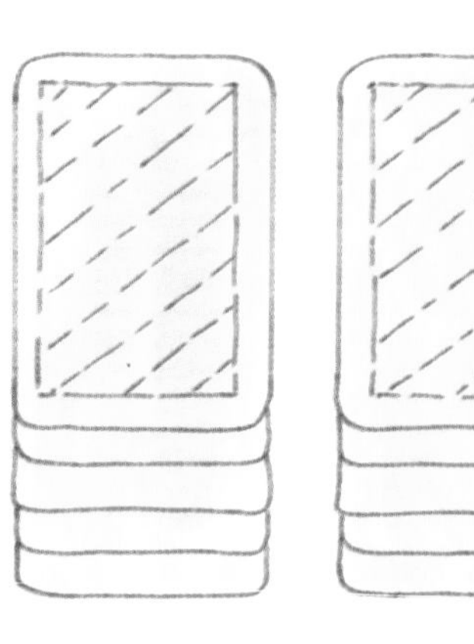

Chaque joueur retourne la carte supérieure de son paquet et la met au centre.

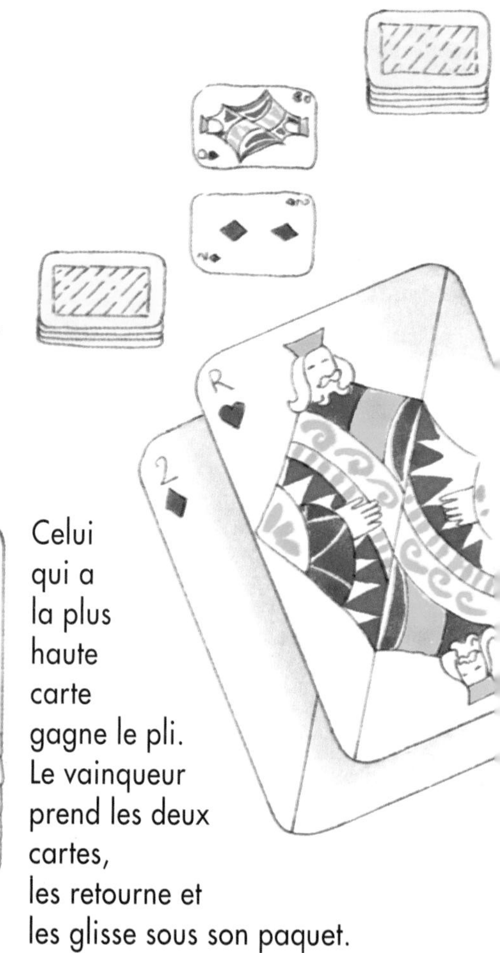

Celui qui a la plus haute carte gagne le pli.
Le vainqueur prend les deux cartes, les retourne et les glisse sous son paquet.

Les joueurs découvrent
les cartes supérieures suivantes
pour un nouveau pli, et ainsi
de suite.

Lorsque les deux
cartes qui
s'affrontent sont
de même valeur,
il y a «bataille».
Chacun retourne
alors une nouvelle carte de
son paquet sur les premières.
C'est cette seconde carte qui
compte : le vainqueur gagne
les quatre cartes.

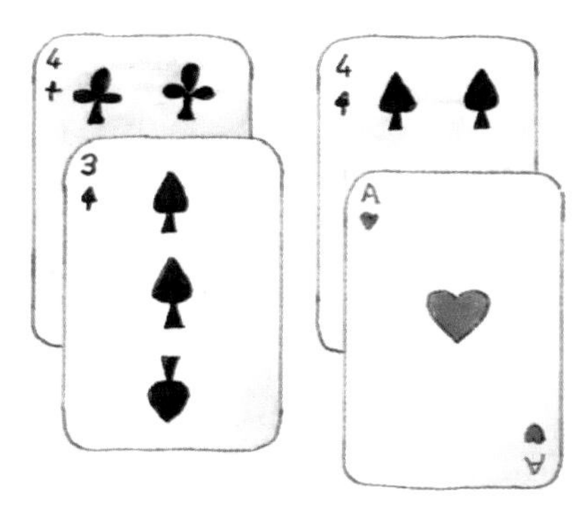

Si les nouvelles cartes sont
égales, il y a de nouveau
bataille, chacun en joue une
troisième... et cela jusqu'à ce
que deux cartes différentes
décident du sort de la bataille.

La partie se poursuit jusqu'à
ce que l'un des joueurs
ramasse toutes les cartes.

Ce jeu a une variante appellée
«bataille payante».
Lorsqu'il y a
bataille, les joueurs
posent chacun une
carte face cachée,
sans la regarder,

puis ils mettent au-dessus une
carte découverte pour essayer
de gagner la levée.
Ainsi, le vainqueur remportera
six cartes au lieu de quatre.
Celui qui gagne une bataille
a le droit de regarder
les cartes cachées qu'il vient
de prendre avant de
les glisser sous son paquet.

LE TOUR DES BROWNIES

Ces gâteaux américains sont un régal. En moins d'une heure et en un tour de main, tu pourras y goûter et partager ce plaisir avec tes copains.

CE QU'IL TE FAUT

USTENSILES :

Un saladier

Un moule carré ou rectangulaire un peu haut

Une cuillère en bois

PRÉPARATION :

20 minutes

CUISSON :

40 à 45 minutes

Fais-toi aider d'un adulte.

1 - Fais fondre le beurre quelques minutes à feu très doux. Dans le saladier, mélange le cacao au sucre puis au beurre.

2 - Incorpore la vanille et les œufs tout en mélangeant.

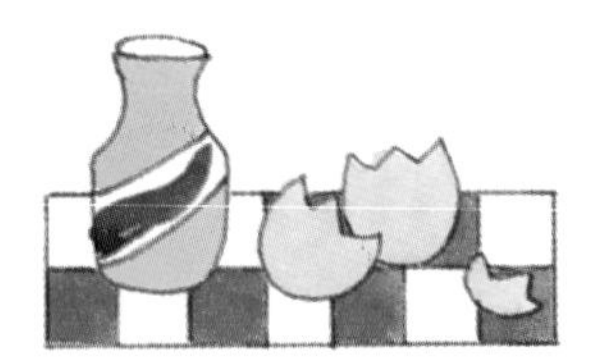

3 - Verse la farine et le sel, et tourne jusqu'à ce que la préparation soit assez souple.
Tu peux aussi ajouter des noix coupées en tout petits morceaux.

4 - Fais chauffer le four pendant quelques minutes (thermostat 8).

Ingrédients

(pour 14 brownies environ)

400 g de sucre semoule

150 g de farine

4 œufs

80 g de cacao

Une cuillère à café d'extrait de vanille

280 g de beurre

Une pincée de sel

Des noix décortiquées (facultatif)

Verse ensuite le mélange dans ton moule beurré et mets-le au four (thermostat 5). Vérifie que la cuisson est terminée en enfonçant un couteau au milieu du gâteau : la lame doit ressortir sèche.

5 - Laisse refroidir un peu et découpe le gâteau en petits carrés que tu présenteras à table sur un beau plat.

FENÊTRES ET BALCONS À FLEURIR

Toutes les graines ne sont pas aussi faciles à soigner que celles de haricot, et, de toute façon, plusieurs mois s'écoulent entre le semis et la floraison.

CE QU'IL TE FAUT

Des plantes en godets

Du terreau

Du gravier

Un grand pot en terre

Des ciseaux

1 - Renverse le godet et tape doucement sur le fond pour décoller la motte de terre avec les racines. Retiens délicatement la pousse entre deux doigts.

2 - Secoue légèrement pour faire tomber la terre sèche. Tu peux aussi te contenter d'enlever la couche de terreau sec à la surface du godet. Coupe ensuite les racines frêles qui dépassent de la motte.

3 - Mets du gravier au fond du pot et garnis celui-ci d'un peu de terreau. Pose la plante dessus et maintiens-la à la verticale pendant que tu remplis le pot de terreau.

4 - Appuie légèrement pour tasser et arrose.

Si tu veux fleurir rapidement maison et balcons, achète des jeunes plantes en godets et empote-les chez toi.

Le bouturage : couper pour multiplier !

Un morceau de tige (bouture) prélevé sur certains végétaux peut s'enraciner et donner naissance à une nouvelle plante. Si tu veux enrichir ton jardin, bouture un géranium, un fuchsia, une misère ou une impatiente.

2 - Laisse les tiges tremper dans l'eau pendant quelques jours : de toutes petites racines blanches apparaîtront.

3 - Installe les boutures dans du terreau humide, où elles se développeront comme des plantes à part entière.

1 - Coupe quelques morceaux de tige de misère ou d'impatiente longues de 8 à 15 cm. Enlève les feuilles inférieures.

LE PAPIER MÂCHÉ

On peut tout faire en papier mâché : des décors de théâtre de 3 m de haut aussi bien qu'un masque ou une bague pour le petit doigt.

Un joli pot pour décorer ta chambre

CE QU'IL TE FAUT

FOURNITURES :

De la colle à papier peint

Un saladier

Quelques vieux journaux

De la peinture acrylique blanche

De la gouache

Du vernis à gouache

Des ciseaux

SUPPORTS :

Un pot de de crème fraîche vide

Une assiette en carton,

Du carton

1 - Dans le saladier, délaye un volume de colle à papier peint dans six volumes d'eau.

2 - Découpe des bandelettes de papier dans de vieux journaux.

3 - Trempe-les au fur et à mesure dans la colle diluée. Élimine le surplus de liquide avec les doigts.

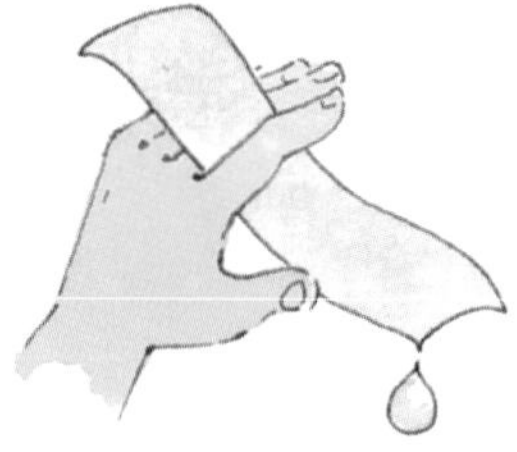

4 - Recouvre le pot de crème, à l'intérieur comme à l'extérieur, avec les bandelettes de papier. Superpose-les en les croisant pour obtenir une couche assez épaisse et homogène.

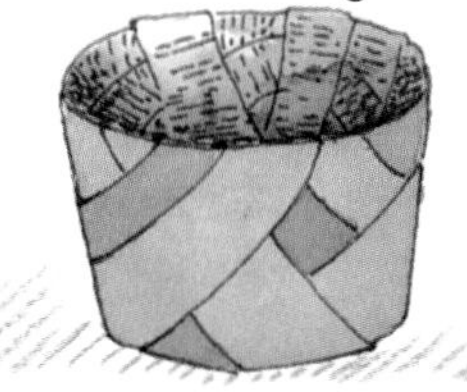

Il faut au moins deux ou trois épaisseurs de papier.

5 - Laisse sécher deux jours. Peins l'intérieur et l'extérieur de peinture blanche. Fais sécher puis décore avec de la gouache avant de vernir la coupelle.

Si tu veux créer des cadeaux, n'oublie pas qu'il faut laisser sécher le papier mâché deux ou trois jours. Tu as donc intérêt à t'y prendre un peu à l'avance.

Un masque pour te déguiser

1 - Prends une assiette en carton et découpe l'emplacement des yeux et du nez.

2 - Pose l'assiette en papier à l'envers sur une assiette de cuisine.

3 - Recouvre le masque de bandelettes de papier mâché. Découpe des oreilles dans du carton et fabrique

les sourcils avec des boudins de papier. Applique-les sur le masque.

4 - Replie le bord des bandelettes sur l'envers du masque. Tu n'as pas besoin de recouvrir l'intérieur du masque de papier mâché.

5 - Quand le masque est sec, perce deux trous de chaque côté pour y passer un élastique.

Des bijoux à offrir

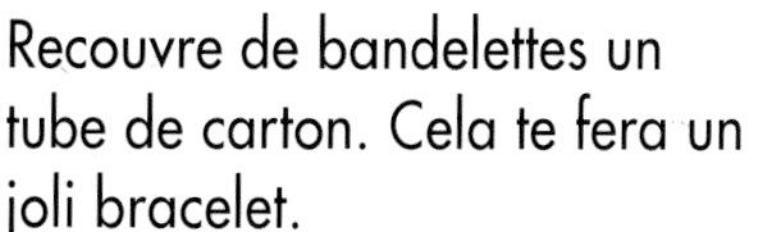

Recouvre de bandelettes un tube de carton. Cela te fera un joli bracelet.

Dessine et découpe différentes formes de broches dans du carton. Recouvre-les de papier. Colle avec du ruban adhésif une épingle double au dos de tes broches.

LES GRANDES ILLUSIONS

Petits moyens et grand effet, c'est la définition même de l'art du prestidigitateur ! Voici trois numéros spécialement étudiés pour mettre en valeur le talent d'un apprenti illusionniste.

Ce qu'il te faut

Une feuille de papier-calque

Une feuille de papier fort (papier à dessin par exemple)

Des ciseaux

Une épingle ou un bouchon

Du carton blanc

Un morceau d'allumette ou de pique-olive de 2-3 cm de long

Des feutres

A

Premier numéro

1 - Décalque et reporte le disque A sur une feuille de papier fort, sans le réduire ni l'agrandir. Découpe-le soigneusement.

2 - Dépose ce disque sur la paume de ta main. Face au public, lève la main à la hauteur des yeux et commence à exécuter un mouvement circulaire de plus en plus rapide. Les spectateurs apercevront plusieurs cercles qui semblent tourner autour d'un centre commun.

3 - Arrête brusquement le mouvement, puis reprends-le : l'effet sera saisissant !

Deuxième numéro

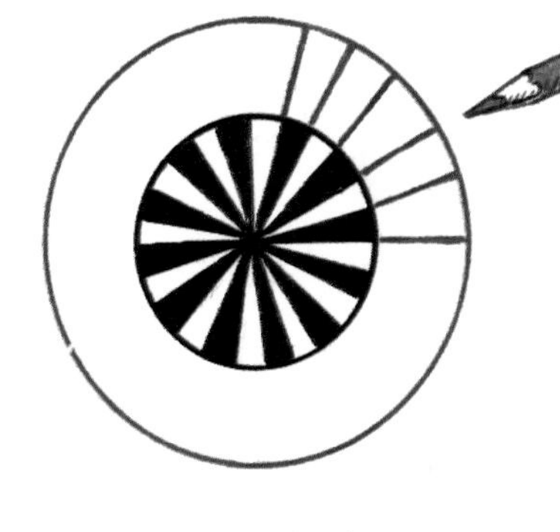

Ce jeu d'optique est inspiré d'une expérience imaginée par Newton.

1 - Recopie le cercle B avec tous ses détails sur du carton blanc. Agrandis cette figure si tu veux.

2 - Fixe le cercle découpé au bout d'une épingle, ou bien colle un bouchon en son centre de manière à pouvoir le faire tourner facilement.

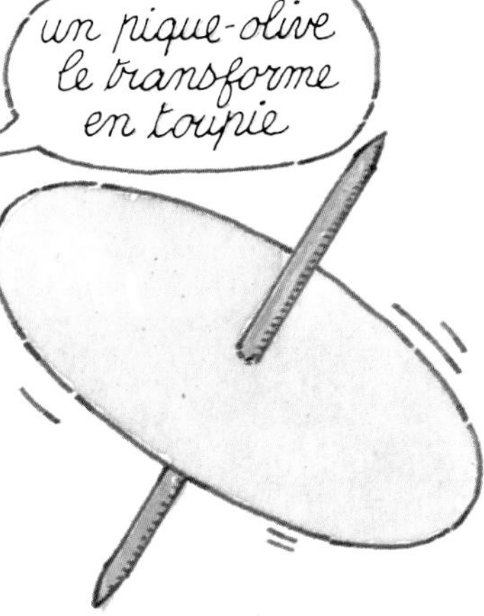

Les spectateurs verront alors apparaître un cercle gris, leurs yeux ne pouvant pas discerner les divisions qui se suivent très vite.

Troisième numéro

C'est sans doute l'expérience la plus passionnante mais aussi la plus difficile.

1 - Reproduis la figure C aussi exactement que possible sur une rondelle de carton blanc de 13 cm de diamètre.

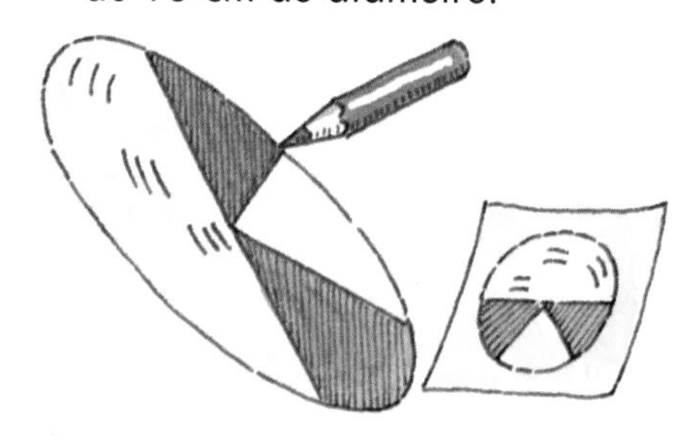

2 - Fixe un morceau de bois en son centre avec un peu de colle.

3 - Tourne le cercle doucement à la lumière du soleil. Si la rotation a lieu dans le sens de celui des aiguilles d'une montre, les zones peintes en noir (de préférence à l'encre de Chine) se teinteront de bleu, vert et rouge en partant du centre ; si tu tournes le disque dans le sens contraire, on verra apparaître la séquence rouge-vert-bleu.

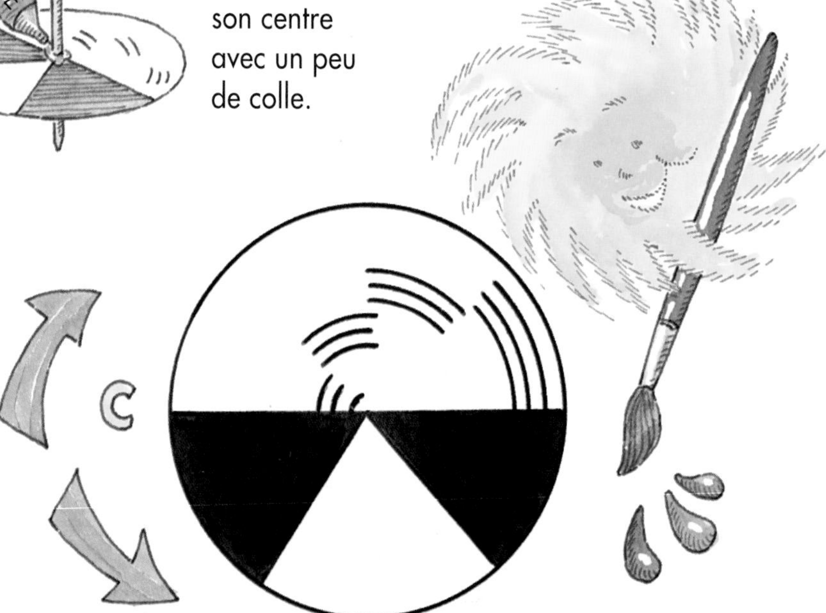

MINI-COURONNES DE PAILLE

À tout moment de l'année, offre à ceux que tu aimes des couronnes éclatantes de paillettes et de fil doré. Pense à rapporter de tes vacances des tiges de blé, des immortelles et autres fleurs séchées pour réaliser toutes sortes d'objets décoratifs.

Ce qu'il te faut

Des tiges de blé de 20 cm de long

Des paillettes dorées

Plusieurs petites étoiles dorées

Du vernis incolore à l'eau

Un pinceau

Du fil doré

1 - Mets les tiges de blé à tremper dans de l'eau tiède pendant quelques heures. Ramollies, elles seront plus souples et prendront facilement la forme voulue.

2 - Retire-les de l'eau et secoue-les. Noue ensuite trois tiges avec un élastique serré.

3 - Fais une tresse pas trop serrée. Courbe-la pour former un cercle et fixe celui-ci avec du fil doré. Une fois la paille séchée, enduis la couronne de vernis et saupoudre-la de paillettes et d'étoiles dorées.

4 - Laisse sécher puis secoue la couronne délicatement pour enlever le surplus de dorure.

AUTOUR DE LA FONDUE AU CHOCOLAT

Voici un dessert très original qui réunira les gourmands autour de la table. Mais attention, tout est chaud ! Demande à un adulte de t'aider.

Ce qu'il te faut

Ustensiles :
Un réchaud de table
Un poêlon à fondue
Des brochettes en bois (avec des fourchettes en métal, il y a risque de brûlure)

Ingrédients :
250 g de chocolat de ménage
Une cuillère à café d'eau
100 g de crème fleurette
Des fruits de saison : bananes, oranges, pamplemousses, ananas, pommes, mangues, litchis...
Une assiette de fruits secs en poudre (noisettes, noix, amandes, noix de

1 - Épluche les fruits et coupe-les en tranches.

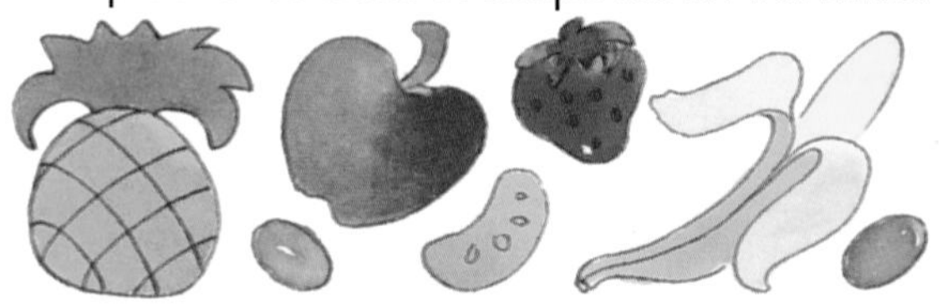

2 - Place le poêlon sur le réchaud et fais fondre le chocolat avec un peu d'eau. Ajoute ensuite la crème et mélange le tout.

3 - Chacun peut maintenant tremper ses fruits dans la fondue.

4 - Les gourmets pourront ensuite rouler le fruit enrobé de chocolat dans la noix ou la noisette en poudre.

LES POMMES DE PIN EN HABIT DE FÊTE

Si tu décides de faire ton propre décor de Noël ou de jour de l'an, pense d'abord aux pommes de pin !

Ce qu'il te faut

Quelques pommes de pin

De la peinture argentée ou dorée

De la colle

Des étoiles autocollantes ou des perles dorées

Du ruban doré ou argenté

Du fil doré

Du fil de fer fin

1 - Accroche les pommes de pin avec du fil de fer fin de façon à pouvoir les tenir facilement et les accrocher.

2 - Peins-les avec la peinture dorée ou argentée et laisse-les sécher.

3 - Fais de gros nœuds avec le ruban doré ou argenté et attache-les au sommet des pommes de pin.

4 - Fixe les étoiles autocollantes ou les perles dorées au bout des rubans.

SOUVENIRS CHAMPÊTRES

Des vacances à la campagne ou une balade dans des petits chemins sont autant d'occasions de découvrir le monde merveilleux des plantes. Fleurs et fruits sauront t'amuser et inspirer tes mains.

Ce qu'il te faut

Un canif

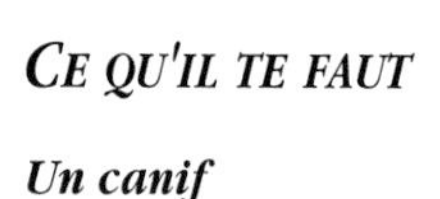

Des glands, des faines et de menues brindilles se métamorphosent en petits animaux et en une mini-dînette.

Quelques coups de canif et un peu de mousse transforment une pomme de terre en une drôle de petite maison.

Avec des petites pommes de terre et des brindilles, crée des bonshommes ou des animaux.

Savais-tu que les pissenlits peuvent friser ? Divise une tige dans la longueur puis trempe-la dans l'eau ou humecte-la de ta salive.

Au début d'une promenade, cueille un épi même sauvage. Introduis-le dans ta manche et oublie-le :

il montera tranquillement tout seul jusqu'à ton épaule !

Grâce à ton aide, le coquelicot deviendra une belle danseuse ! Cueille un coquelicot avec une longue tige et retourne ses pétales.

Enroule un cheveu pour marquer la taille de la danseuse. Enfonce un fragment de tige pour faire une jambe, et un autre pour figurer les bras.

DES TOMATES À LA FENÊTRE

Les tomates que tu feras pousser toi-même seront tellement meilleures que celles achetées au supermarché ! Elles se plaisent aussi bien dans un pot, sur ton balcon, que dans un vrai jardin, à condition d'être installées au soleil et à l'abri du vent.

Ce qu'il te faut

Des plants de tomate en godets

Du terreau

Des pots de 30 cm de diamètre (un pot pour chaque plant)

Des bâtonnets de bois

Quelques morceaux de ficelle

1 - Sors le plant du godet en prenant soin de maintenir la terre autour des racines. Place-le dans un pot en terre rempli aux trois quarts de terreau. Enfonce dans le sol un bâtonnet qui servira de tuteur et attache ton plant à celui-ci avec un bout de ficelle.

2 - Mets un peu de terreau autour du plant et tasse en douceur. Puis arrose abondamment, sans mouiller les feuilles.

3 - Place le pot dans un endroit ensoleillé. Arrose fréquemment afin de maintenir le sol humide.

Les tomates cerises conviennent très bien à la culture en pot

4 - Jusqu'à la floraison, nourris régulièrement le plant (toutes les deux semaines par exemple) d'engrais liquide dilué dans l'eau d'arrosage.

5 - À l'époque de la floraison, secoue chaque plante délicatement une fois par jour pour disperser le pollen. Supprime les pousses naissantes entre la branche et les feuilles. Les fleurs tombent, puis les fruits se forment peu à peu et commencent à rougir. Il ne reste qu'à attendre le moment de la cueillette !

FLEURS SÉCHÉES

Attention ! attends un minimum d'un mois avant d'utiliser les fleurs que tu auras fait sécher.

Ce qu'il te faut

Des fleurs et des feuilles

Du buvard

Des livres lourds ou des annuaires

1 - Choisis des feuilles aux formes décoratives et des fleurs de toutes les couleurs : pensées, violettes,

pétales d'iris, roses, narcisses, primevères, pervenches, tulipes, etc.

2 - Place-les entre deux feuilles de papier buvard en prenant soin de ne pas les plier.

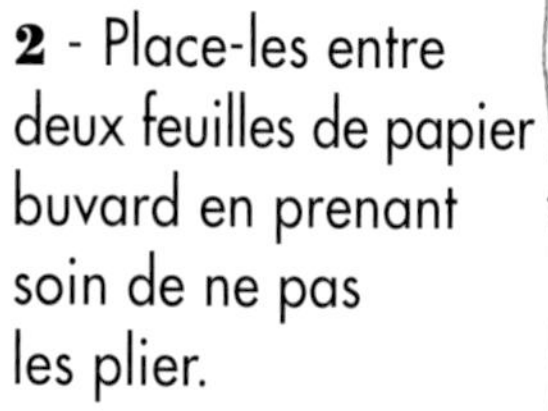

3 - Pose dessus des livres lourds ou des annuaires.

4 - Laisse sécher au moins un mois.

UN PORTEFEUILLE PATCHWORK

Billets, tickets, cartes et papiers seront tous bien rangés dans cet étui original et facile à fabriquer. Pense à conserver des chutes de tissu. Tu les assembleras en un tour de main pour créer un cadeau de dernière minute.

CE QU'IL TE FAUT

Du sparadrap

Une feuille de carton léger

Du coton à broder

Des ciseaux

Trois tissus imprimés différents : un de 32 x 24 cm et deux de 20 x 17 cm

1 - Découpe deux rectangles de 10 x 14 cm dans le carton. Pose-les côte à côte et relie-les avec une bande de sparadrap.

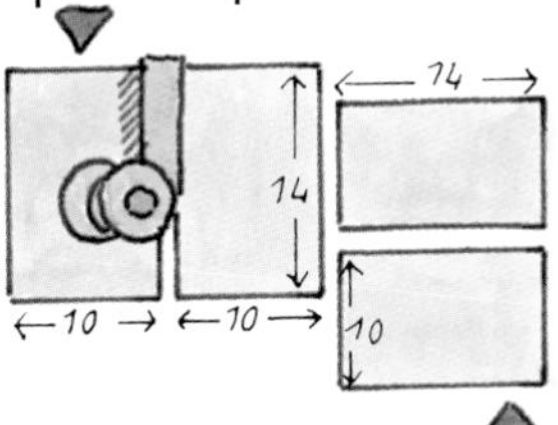

2 - Découpe deux autres rectangles de 8 x 14 cm chacun.

3 - Pose un rectangle de carton de 8 x 14 cm sur un rectangle de tissu de 20 x 17 cm. Replie le tissu sur le carton et couds sur trois côtés. Fais de même avec le second petit rectangle de carton.

4 - Pose le double rectangle de carton sur le grand morceau de tissu. Replie les bords du tissu puis couds sur trois côtés. Assemble les trois rectangles en cousant les bords au point de surjet avec du coton à broder.

COTILLONS, MASQUES ET CHAPEAUX

Une fête sans déguisement n'est pas une fête. Or il suffit de quelques plumes pour transformer un écolier sage en Indien et d'un simple cône en carton pour faire un magicien. Avec un masque, tu glisseras vite dans la peau du loup ou du Chat botté!

Un masque vénitien

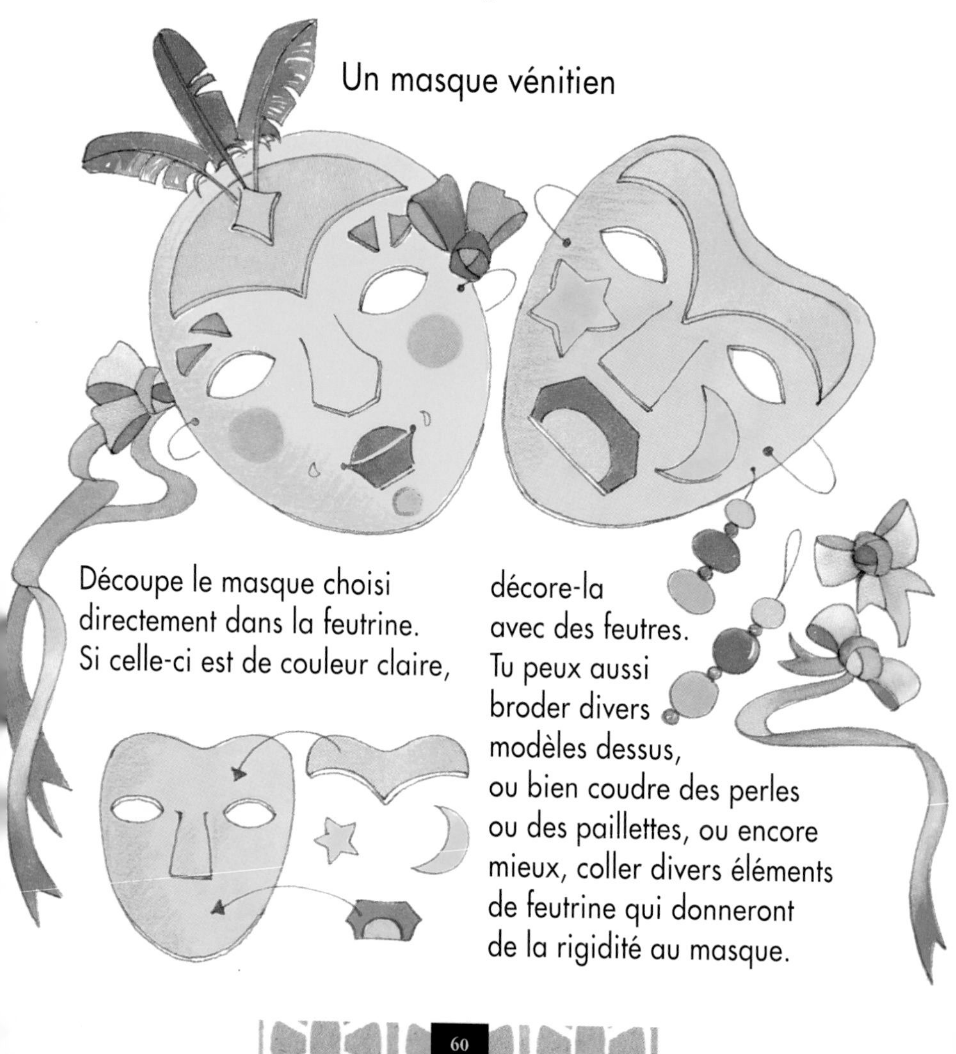

Découpe le masque choisi directement dans la feutrine. Si celle-ci est de couleur claire, décore-la avec des feutres. Tu peux aussi broder divers modèles dessus, ou bien coudre des perles ou des paillettes, ou encore mieux, coller divers éléments de feutrine qui donneront de la rigidité au masque.

Ce qu'il te faut

Du papier à dessin ou du carton fin

Du carton ondulé

Des ciseaux

De la colle ou du ruban adhésif

De l'élastique au mètre

Des feutres ou de la gouache

Des morceaux de feutrine de différentes couleurs

Quelques tiges de blé

Des feuilles d'arbre

Des plumes

À partir du loup...

1 - Agrandis et reporte le modèle de loup sur ton carton et découpe-le. Fais un petit trou à chaque extrémité du masque.

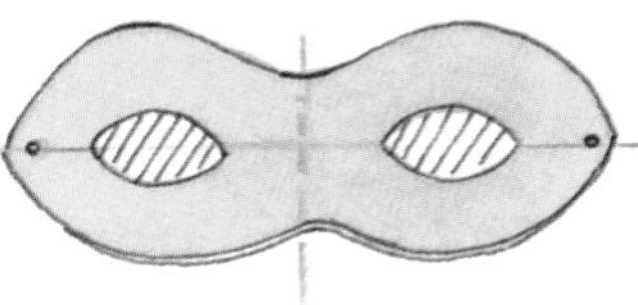

Glisses-y l'élastique et noue-le derrière.

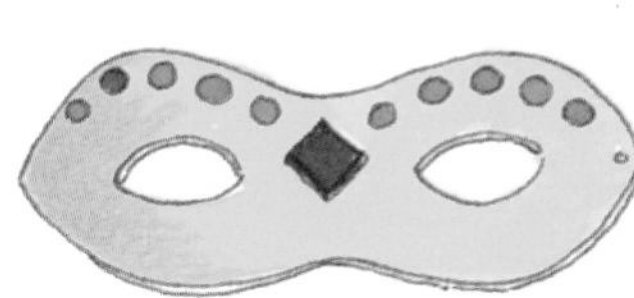

2 - Tu peux peindre ton masque, le recouvrir de feutrine ou le décorer avec des feuilles, des plumes, etc.

Pour créer d'autres figures d'animaux, reprends le modèle de loup et transforme-le légèrement. Par exemple, fais-lui des petites oreilles et colle quelques morceaux de paille sur son museau en guise de moustaches : ce sera un chat. Si tu rajoutes de longues oreilles au loup, tu obtiendras... un lapin !

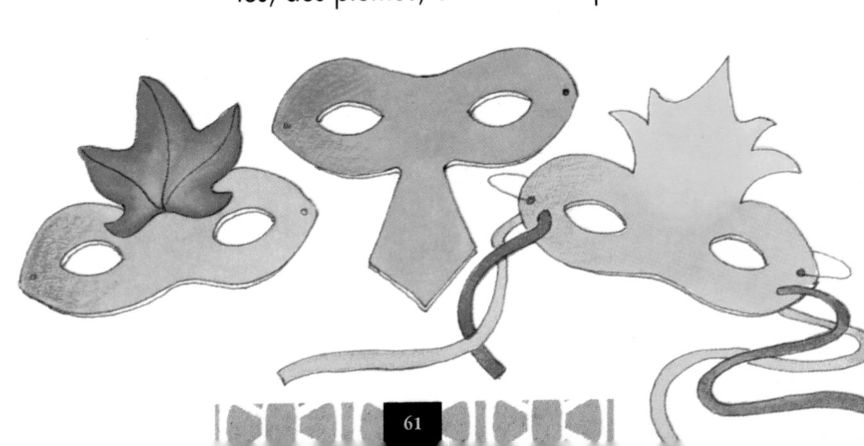

Le chapeau d'un soir

1 - Prends un carton carré de 50 cm de côté, découpe-le selon le croquis choisi puis roule-le pour former un cône que tu fixeras avec du ruban adhésif.

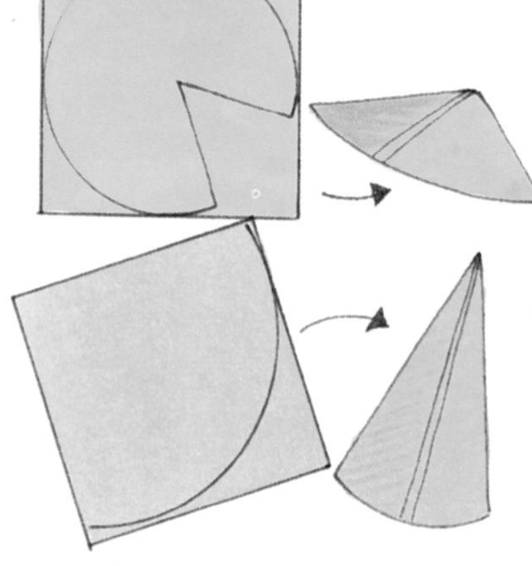

Voici la base qui te permettra de réaliser un chapeau pointu de magicien ou de fée, un chapeau chinois, un hennin de princesse, etc.

2 - Attache-lui ensuite un morceau d'élastique à passer sous le menton.

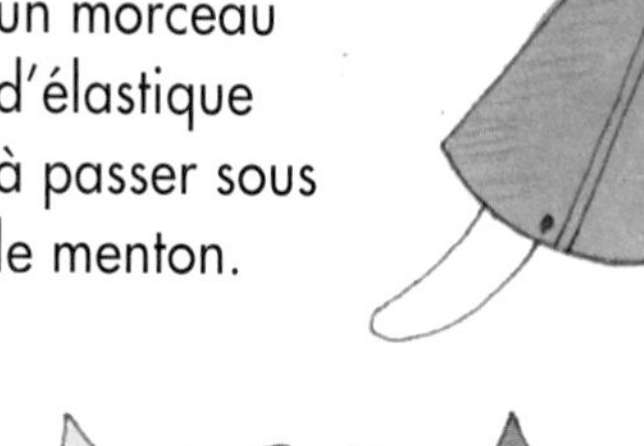

3 - Décore le chapeau avec des gommettes, des étoiles, une lune découpée dans du papier doré, des dragons, etc.

Avec des cônes plus petits, peints en rouge, en jaune ou en noir, tu peux faire un nez ou un bec.

Une parure d'Indien

1 - Découpe dans du carton ondulé une bande de 55 x 5 cm.

2 - Peins-la d'un beau motif géométrique et laisse sécher.

3 - Enroule la bande autour de ta tête et fixe-la avec du ruban adhésif.

4 - Enfonce ensuite les plumes dans l'épaisseur du carton.

LA RELIURE FACILE

Les livres de poche perdent souvent leurs pages, surtout si tu les relis souvent ou les prêtes à tes amis. Donne-leur une nouvelle vie en les reliant.

1 - Découpe dans le carton trois rectangles aux dimensions du livre (deux pour la couverture, un pour le dos).

2 - Enlève la couverture du livre.
Avec le cutter, entaille le dos en trois ou quatre endroits.
Colle dessus des morceaux de gros fil et enfonce-les bien dans les entailles.

3 - Sépare les brins des fils.
Ils doivent être bien étalés lorsque tu les colleras sur les grands rectangles de carton destinés à remplacer la couverture.

4 - Colle aussi le dos en carton. Ouvre le livre et pose-le sur le

tissu enduit de colle. Referme le livre et découpe le tissu en excès en laissant des bords que tu rabattras ensuite sur le carton. Colle une feuille de papier à l'intérieur de la couverture et sur la première page.

Procède de la même manière avec la fin de l'ouvrage.

CE QU'IL TE FAUT

Du carton

Du tissu

Du gros fil

De la colle

Quelques feuilles de papier

Un cutter

UN TABLEAU DE FÊTE AVEC DES NOIX

Lorsque tu manges des noix, garde les coquilles pour en faire des décorations de fête. Leur dos rond, peint en mille couleurs, donnera du relief à de multiples petits objets.

Ce qu'il te faut

Des noix

Du papier à dessin

Du carton léger

De la gouache

Des ciseaux

Des graines ou des perles

De la colle

Du vernis

1 - Ouvre des noix proprement, en évitant de briser la coque. Mange l'intérieur ou donne-le aux mésanges.

2 - Découpe différentes formes (comme ci-dessus) dans du papier assez épais ou du carton léger.

3 - Peins ces découpages ainsi que les coquilles de noix de motifs en couleurs vives.

4 - Colle les demi-coquilles au milieu des découpages. Tu peux les entourer de graines ou de perles de couleur. Vernis ensuite le tout.

LE CRUMBLE : UN DESSERT À L'ANGLAISE

Il existe des centaines de gâteaux aux pommes, mais le crumble, si facile à réaliser, a une saveur toute particulière. Fais découvrir ce dessert à tes amis. Ils vont en raffoler et... t'en demanderont la recette !

Ce qu'il te faut

Ustensiles :

Un couteau

Une cuillère

Un saladier

Une casserole

Un plat à gratin

Ingrédients :

(pour 6 personnes)

1 kg de pommes à cuire

100 g de sucre semoule

Une cuillère à café de cannelle

150 g de beurre

150 g de cassonade

1 - Pèle les pommes, épépine-les et coupe-les en dés. Ensuite, arrose les fruits avec du jus de citron pour éviter qu'ils ne noircissent.

2 - Fais cuire les pommes dans une casserole à feu modéré pendant dix minutes.
Ajoute le sucre semoule et la cannelle, et mélange-les à la compote.

3 - Graisse un plat à gratin avec 40 g de beurre et verses-y la compote.

4 - Dans un saladier, mélange le beurre restant

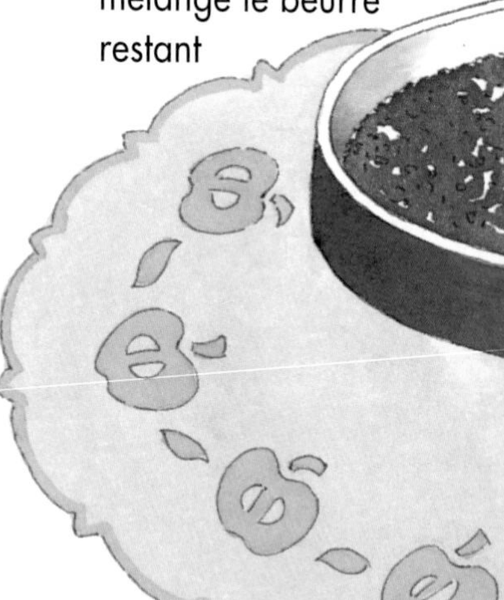

150 g de farine

Un peu de jus de citron

De la crème fraîche ou de la glace à la vanille

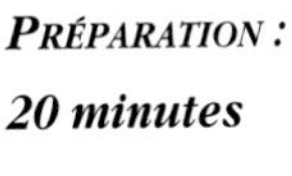

PRÉPARATION :

20 minutes

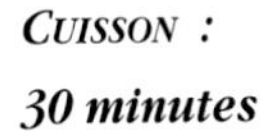

CUISSON :

30 minutes

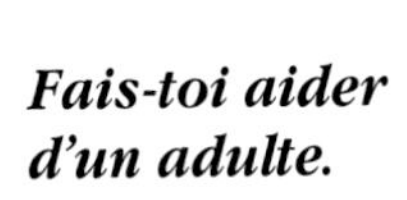

Fais-toi aider d'un adulte.

coupé en petits morceaux et la cassonade. Ajoute la farine et émiette cette

préparation jusqu'à ce qu'elle ait la consistance du sable. Dispose-la ensuite du bout des doigts sur la compote.

5 - Fais cuire vingt minutes au four (thermostat 7). Sers tiède.

Le crumble sera encore meilleur avec de la crème fraîche ou de la glace à la vanille : le mélange froid-tiède est délicieux !

UNE PARTIE DE GIN-RAMI

Ce jeu amusant demande de l'attention et de la perspicacité. Chaque joueur doit rassembler dans sa main des cartes qui se suivent ou se ressemblent. En même temps, il doit imaginer, d'après les cartes du rebut, les combinaisons que constitue l'adversaire.

Ce qu'il te faut

2 jeux de 52 cartes : un pour le jeu proprement dit, l'autre pour la sortie

Valeur des cartes :

As = 15 points

Roi, dame, valet = 10 points

Les autres cartes ont leur valeur nominale (dix = 10 points, neuf = 9 points, etc.).

Nombre de joueurs : 2

Chacun reçoit dix cartes. La vingt et unième, face au-dessus, commence le tas de cartes jetées, appelé le « rebut ». Le tas de cartes non distribuées, dit le « talon », reste face cachée. On nomme « sortie » la carte du second jeu que l'on retourne à chaque nouveau tour.

Le partenaire du donneur commence le jeu. Chaque joueur prend soit la carte au-dessus du talon, soit celle du haut du rebut. Il étudie sa main

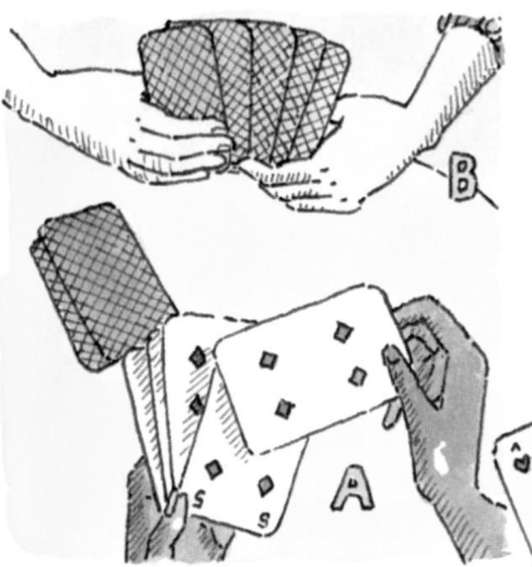

pour voir si la carte tirée lui est utile ou non, puis il jette une de ses cartes, face au-dessus, sur le rebut. Ainsi, le nombre de cartes que chacun a dans sa main reste inchangé tout au long du jeu.

Chacun organise sa main en :
— « suites » : trois cartes à la suite et de même couleur (par exemple, dix de cœur, valet de cœur, dame de cœur) ;

— « brelans » : trois cartes de même valeur (par exemple, trois valets) ;

— « carrés » : quatre cartes de même valeur (par exemple, quatre as).

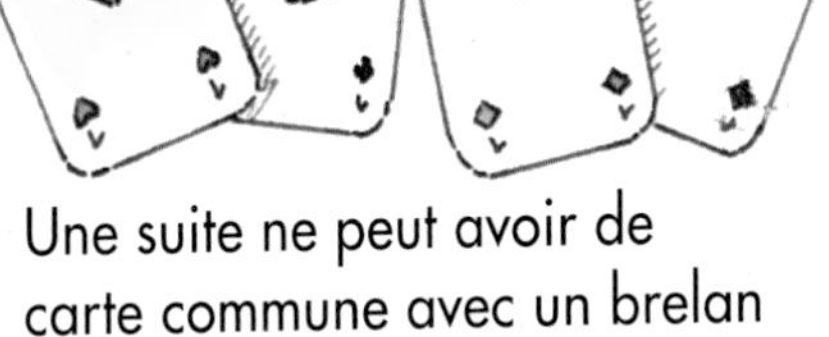

Une suite ne peut avoir de carte commune avec un brelan ou un carré.

Le jeu se termine lorsqu'un joueur (A) étale ses cartes sur la table. Il signale la fin du jeu en mettant une carte cachée sur le rebut.
Le gagnant assemble ses formations et calcule la valeur des cartes isolées qui lui restent dans la main : le total ne doit pas dépasser la valeur de la carte de sortie (par exemple, si la carte de sortie est une dame, la somme des cartes isolées du

Si A sort sans cartes isolées dans sa main, il fait « gin » et comptabilise le total de B plus 25 points.
Quand le gagnant ne possède aucune carte isolée dans

joueur A doit être en dessous de 10 points).
Le joueur B étale à son tour les combinaisons qu'il a pu former. Il a la possibilité de compléter les formations de l'adversaire avant de faire le total de ses cartes isolées.
Si la somme des cartes isolées de A est inférieure à celle de B, A gagne la différence.
Si elle est supérieure, c'est B qui prend la différence à son compte et y ajoute 25 points.

sa main et, de plus, qu'il ne s'est débarrassé d'aucune carte sur le rebut, il fait « big-gin » et marque 50 points hormis le total des points de B.

UNE MÉMOIRE D'ÉLÉPHANT

Voici un jeu de cartes qui repose sur l'esprit d'observation et la mémoire des participants. Les joueurs, deux au moins, doivent se souvenir des cartes retournées afin de pouvoir constituer des paires.

Ce qu'il te faut

Un jeu de 52 cartes

Comment jouer

Au départ, toutes les cartes sont étalées face contre la table, donc cachées.

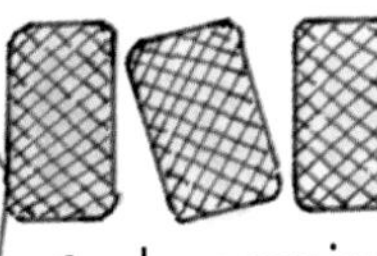

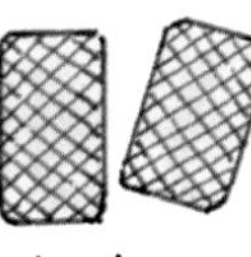

1 - Le premier joueur retourne deux cartes et les montre à tous.
Si elles sont de même valeur (par exemple, huit de trèfle et huit de cœur), il les ramasse comme un pli.
Si elles sont différentes, il les remet, face cachée, à leur place.

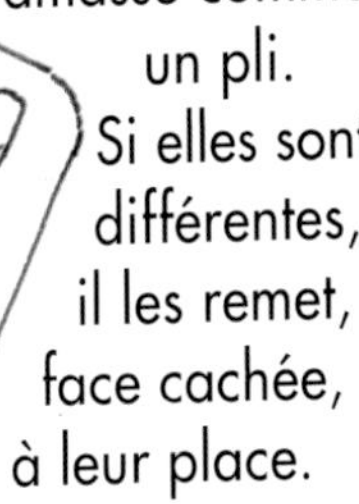

2 - Le joueur suivant retourne à son tour deux cartes et procède de la même manière.
Il faut, bien entendu, essayer de garder en mémoire l'emplacement des diverses cartes vues au cours du jeu pour chercher sa chance...
au bon endroit !

3 - La partie cesse quand toutes les cartes sont rangées par paires.
Le vainqueur est celui qui en a ramassé le plus grand nombre.

LA RONDE DES FAMILLES

Tu connais peut-être les jeux de cartes avec des personnages ou des animaux qu'il faut ranger par paires ou par familles. On peut aussi considérer comme une famille les quatre couleurs différentes d'une même valeur dans un paquet de cartes

CE QU'IL TE FAUT

Un jeu de 52 cartes

NOMBRE DE JOUEURS :
4 OU 8

Le donneur distribue les cartes une par une jusqu'à la fin du paquet. Il arrive donc que tous les joueurs n'aient pas le même nombre de cartes au début de la partie.

Celui qui se trouve à gauche du donneur commence.

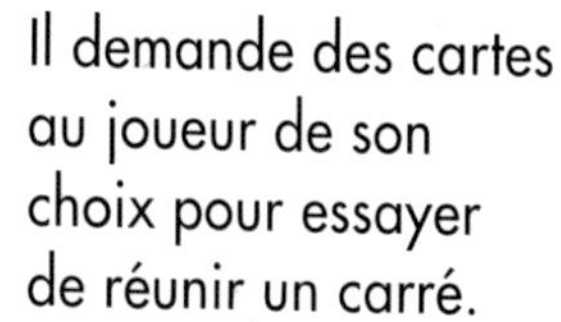

Il demande des cartes au joueur de son choix pour essayer de réunir un carré.

Disons qu'il veut, par exemple, l'as de cœur.

traditionnelles (par exemple : neuf de trèfle, neuf de carreau, neuf de cœur et neuf de pique). Le jeu, qui se pratique à quatre ou à huit, consiste justement à former de tels carrés en obtenant les cartes manquantes des autres joueurs.

Si ce joueur l'a, il doit le donner.

Le premier joueur continue à réclamer des cartes, toujours au joueur de son choix, jusqu'à ce qu'il en demande une que son partenaire ne possède pas.

C'est alors à son voisin de gauche de jouer. Dès qu'un joueur a constitué un carré, il l'étale devant lui.

Lorsque tous les carrés sont déposés sur la table, les joueurs font leurs comptes : chaque carré vaut un point à celui qui l'a formé.

CALENDRIERS DE CAMPAGNE

Voici une idée de collage qui fera un joli cadeau pour la fête des Pères ou celle des Mères. Procure-toi un calendrier dont on retire

Un tableau de fleurs

1 - Découpe ton carton à la taille voulue et dessine au crayon l'emplacement de l'éphéméride.

Ce qu'il te faut

Une feuille de carton

De la colle

De la ficelle

Un crayon

Un éphéméride

Des graines (haricots, lentilles, maïs, riz...)

Des fleurs et des feuilles séchées

2 - Dispose les fleurs et les feuilles séchées sur le carton. Lorsque tu seras satisfait de la composition, soulève les plantes délicatement et glisse une goutte de colle en dessous. Repose-les au même endroit et laisse sécher.

3 - Termine en collant l'éphéméride.

4 - Réalise avec des fleurs séchées des étiquettes pour des cadeaux, des cartes de vœux, des cartes postales ou un tableau.

chaque jour une feuille, appelé éphéméride,
ainsi que des graines de toutes sortes
ou des fleurs séchées.
Tes mains habiles feront le reste!

Un tableau de graines

1 - Dessine sur ton carton un motif que tu réaliseras ensuite avec des graines. Marque aussi l'emplacement de l'éphéméride.

2 - Étale la colle par petites surfaces et pose les graines les unes contre les autres.

3 - Colle enfin ton éphéméride au bas de la feuille.

UNE POMME D'AMBRE

En quelques minutes tu obtiendras un parfum d'ambiance à base d'orange et de clou de girofle. Décorée d'un beau ruban, cette orange deviendra un cadeau raffiné.

Ce qu'il te faut

Une orange

Des clous de girofle

Du ruban étroit

Un petit crochet

Une allumette

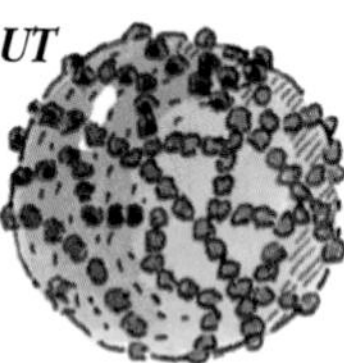
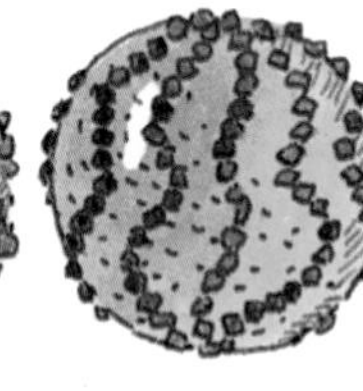
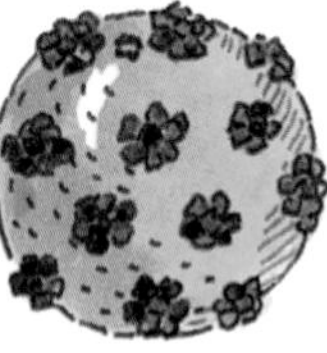
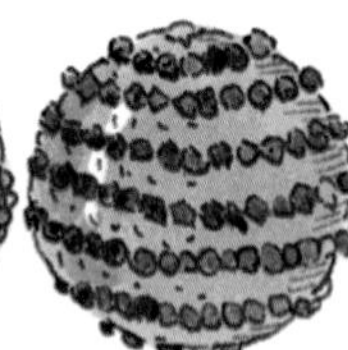

1 - Si tu veux garder l'orange chez toi pour embaumer la maison, enfonce les clous de girofle dans le fruit en suivant les modèles A, B, C et D.

2 - Si tu veux l'offrir, dispose les clous de girofle de façon à ménager un peu d'espace libre pour le ruban. Croise le ruban autour de l'orange et forme un joli noeud.

3 - Pour suspendre une orange, tu as besoin d'une allumette et d'un petit crochet.

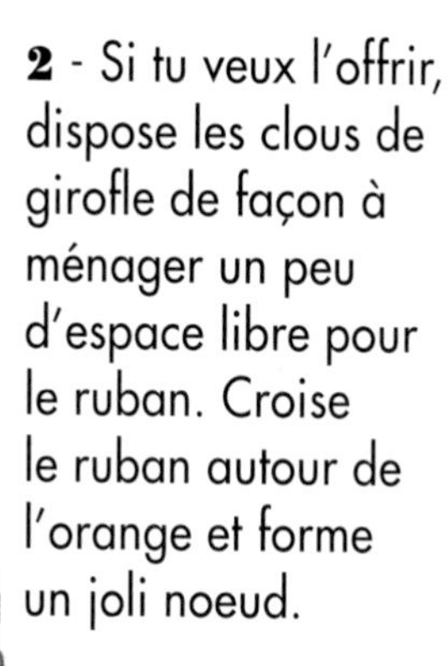

Attache l'allumette à un bout du ruban. Enfonce le crochet, puis attache l'autre extrémité du ruban à celui-ci.

Tire le ruban au travers de l'orange : l'allumette restera bloquée sous le fruit. Décore-la de clous de girofle et suspends-la.

UNE MAISON À TOI

Quoi de plus réjouissant que d'être maître de son royaume, petit pays caché quelque part... sous une table? Voici un moyen original de régner en paix, à l'abri des regards indiscrets.

Ce qu'il te faut

Un grand tissu (un drap usé par exemple ; à défaut, du papier kraft vendu en rouleau)

Des ciseaux

Un crayon

Deux rubans

De la peinture

1 - Étale le tissu sur la table : il doit tomber jusqu'au plancher. Si tu travailles avec du papier kraft, assemble quelques larges feuilles et colle-les avec du ruban adhésif pour obtenir une grande surface.

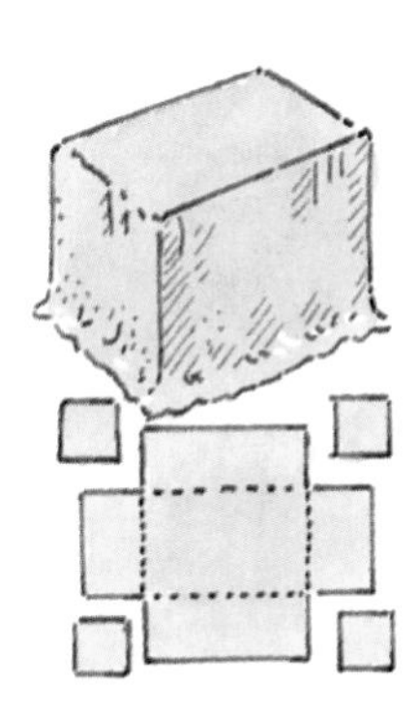

2 - Découpe le tissu ou le papier aux dimensions de la table.

3 - Dessine puis découpe la fenêtre. Découpe la porte en partant du bas : tu dois pouvoir la rouler et l'attacher en haut à l'aide de rubans cousus de part et d'autre du mur.

4 - Peins la maison selon ta fantaisie.

LA FOIRE AUX TARTINES

Au début d'un repas de fête, des canapés de toutes les couleurs prennent place sur la table pour ouvrir l'appétit des gourmands. tu peux inventer sur-le-champ des bouchées savoureuses.

Ce qu'il te faut

Ustensiles :

Des couteaux à tartiner

Un ouvre-boîtes

De belles assiettes ou des plateaux de fête

Ingrédients :

Du pain en tranches (pain de mie, aux noix, aux raisins, aux céréales...) ou des biscottes

Un pot de fromage blanc battu

De la ciboulette

2 échalotes hachées

Du sel

Du poivre

Du paprika

Canapés au fromage blanc

Mélange le fromage blanc à la ciboulette

et aux échalotes finement hachées. Ajoute un peu de sel et tartine les tranches avec cette crème. Décore avec une pincée de paprika.

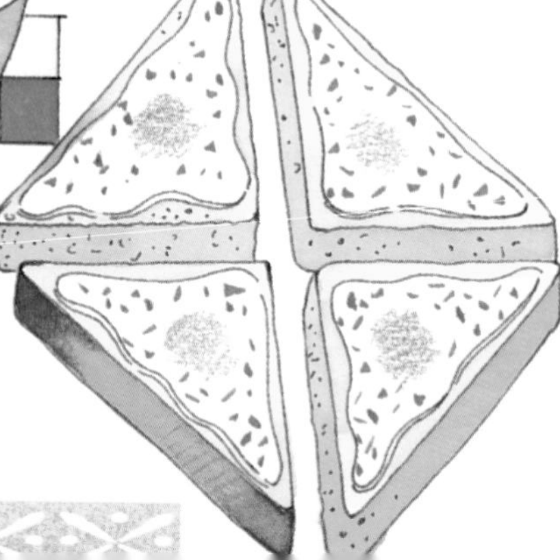

150 g de mousse de canard

Un petit bocal d'olives vertes dénoyautées

Canapés à la mousse de canard

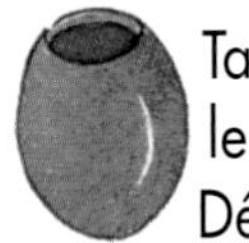

Tartine les tranches de pain ou les biscottes avec la mousse. Décore avec une olive verte.

Un pot d'œufs de lump noirs
Un pot de tarama
Du beurre

Canapés rose et noir

Beurre la moitié d'une tartine et recouvre-la d'œufs de lump. Sur l'autre moitié, étale le tarama.

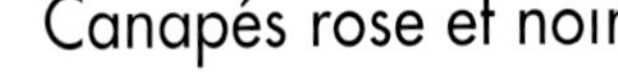

Autres canapés

Les tartines se prêtent à bien d'autres combinaisons. Sur du pain beurré, tu peux disposer du saumon, des œufs de saumon, des tranches fines de jambon ou de saucisson, du fromage du chèvre, etc. N'oublie surtout pas de décorer ces canapés, c'est ce qui les rend appétissants. Garnis-les donc de rondelles de radis, de citron ou de cornichon, de fines lanières de poivron, de tomates cerises, de feuilles de menthe... Tu peux aussi les saupoudrer avec du persil ou de la ciboulette.

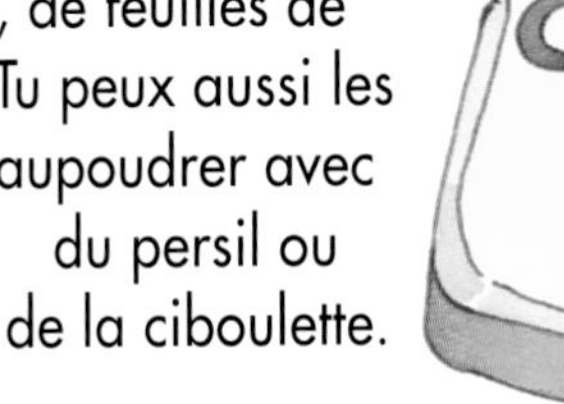

LA COURSE DES JOURS

« Nous sommes le 9 ou le 10 ? » Plus d'hésitation avec ce calendrier tournant qui montre les dates, les jours de la semaine et les mois de l'année. Voilà un cadeau on ne peut plus utile à offrir à tes parents à Noël.

CE QU'IL TE FAUT

Du carton épais

Du carton léger

Des attaches parisiennes

Une boîte de gouache ou des feutres

Des ciseaux

1 - Découpe un rectangle de 12 x 14 cm dans une feuille de carton assez épais et rigide.

2 - Dessine au crayon l'emplacement des points A, B, C et D des 4 rectangles exactement comme sur le croquis ci-dessous.

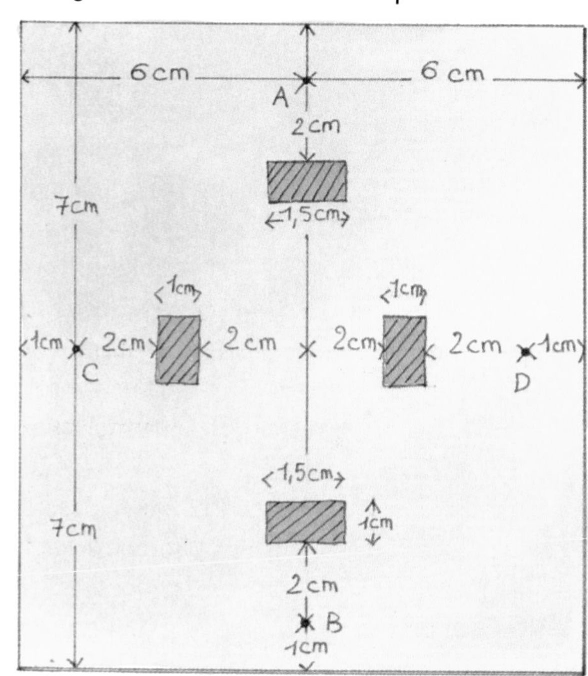

3 - Avec la pointe des ciseaux, perfore les points A, B, C, D. Découpe les 4 rectangles qui forment ainsi 4 petites fenêtres.

4 - Découpe ensuite quatre disques de 4,5 cm de diamètre dans une feuille de carton flexible.

Sur le premier disque (A), écris les jours de la semaine ; sur le second (B), note les mois de l'année.

Sur les deux autres disques (C et D), marque respectivement les chiffres de 1 à 3 et de 0 à 9.

Attention ! écris les lettres et les chiffres dans le bon sens, comme sur les croquis.

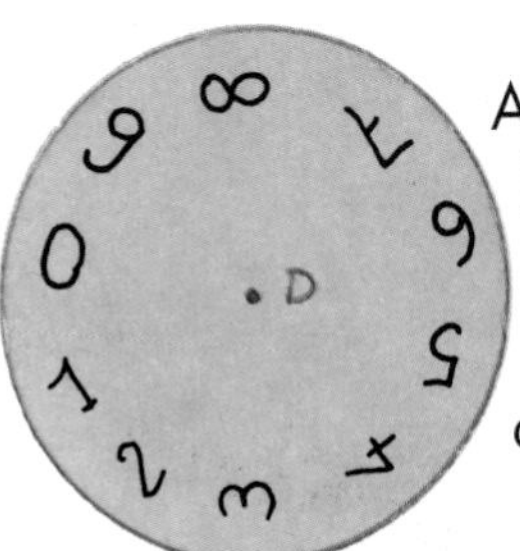

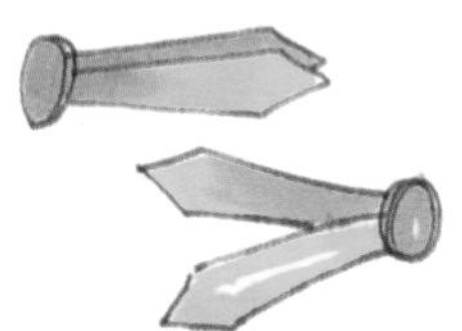

5 - À l'aide de quatre attaches, fixe les disques au dos du carton, chacun devant une fenêtre, le centre du disque A se trouvant sous le point A du rectangle et ainsi de suite.

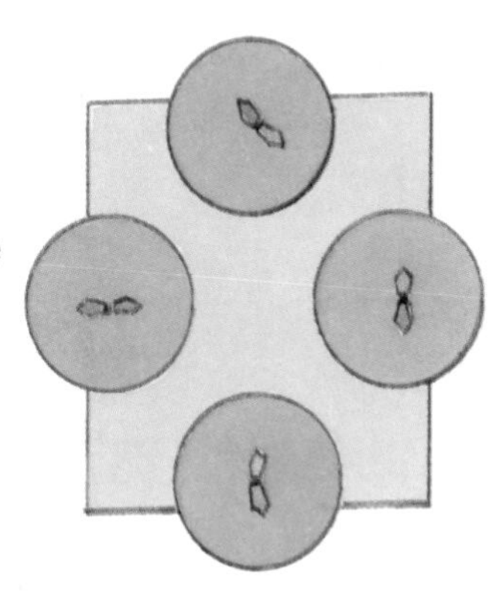

Décore le calendrier avec les motifs de ton choix et, quand il sera accroché au mur, n'oublie pas de tourner chaque jour les disques !

TOUTE UNE FAUNE EN BISCUIT

Avec quelques emporte-pièce
en forme d'animaux,
fabrique tout un zoo à croquer...

CE QU'IL TE FAUT

USTENSILES :

Un saladier

Un rouleau à pâtisserie

Une spatule

Des emporte-pièce en forme d'animaux

Une cuillère en bois

INGRÉDIENTS :

250 g de farine

125 g de beurre ramolli

200 g de sucre

Un œuf

2 cuillères à soupe de jus de citron

1 - Dans un saladier, mélange bien le beurre et le sucre. Ajoute la farine, le sel, l'œuf battu et le jus de citron, puis pétris la pâte avec tes mains. Mets-la en boule et laisse reposer au frais pendant une heure.

2 - Étends la pâte au rouleau sur la table farinée. Découpe des animaux avec les emporte-pièce et décolle la pâte à l'aide d'un petit couteau pointu.

Un jaune d'œuf

Un pinceau assez épais

Préparation :
20 minutes

Cuisson :
10 minutes

Fais-toi aider d'un adulte.

Si tu n'as pas d'emporte-pièce, emploie un verre, un couteau

ou une roulette à pâtisserie pour détacher des formes.

Tu peux aussi décorer tes sablés avec du sucre glace, du vermicelle de couleur ou des morceaux de fruits confits.

3 - Trempe un pinceau dans le jaune d'œuf et badigeonne chaque biscuit.

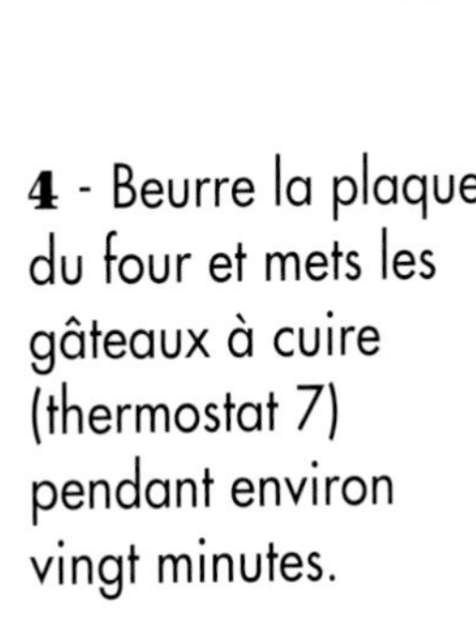

4 - Beurre la plaque du four et mets les gâteaux à cuire (thermostat 7) pendant environ vingt minutes.

UN VERGER DANS LA MAISON

Tu veux observer la croissance d'un pommier ou d'un citronnier? Il suffit de planter les pépins du fruit de ton choix dans un pot.

Ce qu'il te faut

Des pépins de pomme ou d'agrumes (citron, orange, pamplemousse, mandarine...)

Des noyaux de datte, de litchi...

Trois pots en terre

Du gravier

Du terreau

Des sacs en plastique

Des soucoupes

Des bâtonnets de bois

Des étiquettes

1 - Mets une soucoupe sous chaque pot. Remplis le fond de gravier et ajoute du terreau.

2 - Répartis le même nombre de pépins dans chaque pot. Enfonce-les dans le sol (à 1 ou 2 cm de profondeur). Colle des étiquettes sur les pots avec le nom du fruit et la date du semis.

3 - Plante dans chaque pot un bâtonnet de bois. Arrose bien. Recouvre le pot d'un sac en plastique. Celui-ci va contribuer à maintenir la chaleur et l'humidité dont les graines ont besoin pour germer.

«Sème» tes arbres en hiver ou au printemps. Bien entendu, l'idéal serait de les planter ensuite dans une grande caisse à l'extérieur ou dans un jardin.

4 - Place tes pots en plein soleil : par exemple, sur le rebord de ta fenêtre.

5 - Verse régulièrement de l'eau dans la soucoupe. N'oublie pas de retirer de temps en temps le sac en plastique pour aérer la plante. Au bout d'un mois, ton arbre commencera à pousser.

6 - Installe les pots dehors en été. À la saison froide, rentre les espèces exotiques (dattes, litchis, agrumes).

UN QUATRE-QUARTS POUR QUATRE GOÛTS

Un peu plus long à réaliser que les autres desserts, ce gâteau est pourtant une base idéale pour toutes les fantaisies :

Ce qu'il te faut

Ustensiles :
Deux saladiers

Une cuillère en bois

Un batteur ou un fouet

Un moule

Ingrédients :
(pour 6 personnes)

4 œufs

Une pincée de sel

De la farine, du sucre et du beurre au même poids que celui des 4 œufs (environ 250 g)

1 - Fais ramollir le beurre et mélange-le au sucre dans un saladier pendant quelques instants.

2 - Incorpore les jaunes d'œufs à la préparation. Ajoute ensuite la farine et tourne bien pour obtenir un mélange homogène.

3 - Bats les œufs en neige avec une pincée de sel et incorpore-les délicatement en tournant la préparation de haut en bas avec la cuillère en bois.

4 - Beurre un moule très soigneusement.

Verses-y un peu de farine et secoue le moule pour que la farine s'étale partout. Jette ce qui est en trop.

il sera fourré à la crème de marrons
ou au chocolat, à la confiture
et même à la compote tiède.

De la crème de marrons, de la compote...

PRÉPARATION : 20 minutes

CUISSON : 45 minutes

Fais-toi aider d'un adulte.

5 - Verse la pâte dans le moule et fais cuire pendant 45 minutes au four (thermostat 5).

Laisse refroidir le gâteau puis coupe-le en deux dans le sens de l'épaisseur.

Tu peux maintenant le fourrer à la crème de marrons ou à la confiture.

Les fêtes de l'année

Janvier

- *Le jour du nouvel an dépend du calendrier que l'on adopte. Pour nous, c'est le 1er janvier. Les juifs fêtent le nouvel an, Roshba-Shana, en septembre ou en octobre. Pour les Chinois, le nouvel an est en février.*
- *Le 6 janvier c'est l'Épiphanie, la fête des Rois. On fait ce jour-là une galette dans laquelle on glisse une fève. Celui qui la trouve est le roi. Il peut choisir sa reine.*

Février

- *La Chandeleur, le 2 février, est le jour des crêpes que l'on fait sauter en tenant la poêle d'une main et une pièce d'argent dans l'autre. Ainsi l'année sera prospère !*
- *Pour mardis gras, on se déguise et on se masque. Dans certaines régions et certains pays, on fête le carnaval qui marque la fin de l'hiver et le retour des jours meilleurs. Les carnavals de Venise, de Rio de Janeiro ou de Nice sont très réputés.*
- *Le14 février c'est la Saint-Valentin, la fête des amoureux.*

Avril

- *Le 1er avril est le jour des «poissons d'avril». On peut faire plein de farces !*
- *À Pâques les enfants reçoivent des poules ou des lapins en chocolat. La légende raconte que ce sont les cloches parties trois jours à Rome qui rapportent des friandises aux enfants. Aux États-Unis ou en Europe du Nord, c'est un lapin qui distribue des cadeaux.*

Mai

- *Le 1er mai, le jour de la fête du Travail, on offre un brin de muguet porte-bonheur.*
- *La fête des Mères est le dernier dimanche de mai. Tous les enfants, petits ou grands, offrent un cadeau à leur maman. En Angleterre, pour la fête des Mères qui a lieu en mars, les enfants préparent un gâteau fait d'amandes et d'épices.*
- *Le 5 mai au Japon, c'est la fête des Petits Garçons. On plante sur le toit des maisons des drapeaux en forme de carpe, symbole de courage et de ténacité.*

Les fêtes de l'année

Juin

- La fête des Pères est le 19 juin.
- La fête de la Musique a lieu le soir du 21 juin. C'est l'occasion pour tous les musiciens débutants ou professionnels de jouer en public.
- Le 24 juin, à la Saint-Jean, la nuit la plus courte de l'année, on allume des feux dans les villes ou les villages et on danse autour.

Juillet

- Le 14 juillet, en France, on célèbre la fête nationale. C'est l'anniversaire de la prise de la Bastille et le début de la Révolution française. En Belgique, la fête nationale est le 21 juillet, au Québec, le 24 juin, aux U.S.A., le 4 juillet.

Septembre-octobre

- La fête des Vendanges a lieu lorsque le raisin est mûr en septembre ou en octobre. Chez les juifs, c'est la fête de Soukkoth qui célèbre la fin des récoltes des fruits.

Novembre

- Pour Halloween aux États-Unis, les enfants se déguisent en fantômes ou en sorcières. Des citrouilles évidées et éclairées d'une bougie sont posées près des fenêtres.
- Le 25 novembre pour la Sainte-Catherine, la patronne des jeunes filles célibataires, les « catherinettes » portent les chapeaux les plus extravagants.
- Le quatrième jeudi de novembre, aux États-Unis, est le jour de « Thanksgiving ». On célèbre l'arrivée des premiers colons européens. C'est l'occasion d'un grand repas traditionnel en famille avec notamment une dinde farcie.

Décembre

- En Belgique, aux Pays-Bas, en Allemagne et dans d'autres régions, saint Nicolas rend visite aux enfants le soir du 5 décembre et dépose des cadeaux dans les souliers.
- Le 25 décembre, les chrétiens célèbrent la naissance de Jésus. Noël, une des plus belles fêtes de l'année, est l'occasion de confectionner des décorations pour la table, pour le sapin ou pour la salle à manger.

Calendrier des travaux de jardinage

Janvier

Replante en pots les amaryllis.

Février

Sème en bacs les giroflées, pétunias, centaurées.

Mars

Donne de l'engrais aux plantes d'intérieur.
Sème en bac les capucines, impatientes, gaillardes.

Avril

Donne de l'engrais aux plantes en pots jusqu'en automne.

Mai

Mets au balcon les amaryllis.
Donne-leur de l'engrais jusqu'en septembre.

Juin

Protège les plantes du soleil direct.

Calendrier des travaux de jardinage

Juillet

Mets les plantes d'intérieur sur le balcon, à l'ombre.
Arrose le soir.

Août

Vaporise de l'eau sur les plantes, le soir.

Septembre

Rentre les plantes d'intérieur qui ont passé l'été sur le balcon.

Octobre

Cesse d'arroser les amaryllis. Rentre-les au frais et au sec.

Novembre

Lave les feuilles des plantes d'appartement.

Décembre

Ne donne plus d'engrais. Arrose modérément.
Cultive sur carafe des crocus, jacinthes, perce-neige, etc.

Petit vocabulaire pour grand joueur !

- *Il y a des jeux de 32 cartes ou de 52 cartes.*
Dans un jeu, pique, cœur, trèfle et carreau sont les quatre « couleurs ».

- *Couper : c'est séparer le jeu en deux paquets et placer le paquet du dessous au-dessus.*

- *Donner : c'est distribuer les cartes au début de la partie.*

- *Le talon : c'est ce qui reste des cartes après avoir donné.*

- *La valeur des cartes peut varier selon le jeu.*
Le plus souvent, les cartes jusqu'au dix ont la valeur indiquée par le nombre : le dix vaut 10, le cinq vaut 5, le quatre vaut 4 etc.
Les « figures », c'est-à-dire les valet, dame et roi, valent 10.
L'as peut valoir 10, 15 ou 1 point selon le cas. Regarde la règle du jeu.

- *Une suite : ce sont des cartes de la même « couleur » qui se suivent.*
Par exemple : sept, huit, neuf, dix de carreau.

- *Un brelan : trois cartes semblables.*
Par exemple : trois valets, trois dames ou trois sept.

- *Un carré : quatre cartes semblables.*
Par exemple : quatre as, quatre roi ou quatre huit.

Comment mesurer sans balance

Farine

50 g = *une tasse à café*
= *5 cuillères à soupe bombées*
= *une petite moité d'un bol à déjeuner*

Sucre

100 g = *5 cuillères à soupe bombées*
= *une tasse à café*
= *une petite moitié d'un bol à déjeuner*

Eau

1/4 litre d'eau = *16 cuillères à soupe d'eau*
= *deux tasses à café rases*
= *un bol à déjeuner*

Chocolat à cuire

Pour une tablette de 200 g
50 g = *10 carrés*
100 g = *20 carrés*

Beurre

Tu trouveras les poids (de 50 à 250 g) écrits sur le papier d'emballage de la plupart des tablettes de 250 g de beurre. Regarde bien en ouvrant le paquet.

Index

Collaboration au texte : Adriana Romosan
Conception et réalisation : Valérie Vilpellet

Dépôt légal : juin 1994
Loi n° 49-956 du 16 juillet 1949
sur les publications destinées à la jeunesse

ISBN : 2 7404 0393-3

Achevé d'imprimer par Ouest Impressions Oberthur
35000 Rennes - N° 15254 - Juin 1994